# RENAÎTRE

Conception graphique de la couverture: Éric L'Archevêque

DISTRIBUTEURS EXCLUSIFS:

- Pour le Canada et les États-Unis:
  **LES MESSAGERIES ADP***
  955, rue Amherst, Montréal  H2L 3K4
  Tél.: (514) 523-1182
  Télécopieur: (514) 939-0406
  * Filiale de Sogides ltée

- Pour la Belgique et le Luxembourg:
  **PRESSES DE BELGIQUE S.A.**
  Boulevard de l'Europe 117
  B-1301 Wavre
  Tél.: (10) 41-59-66
       (10) 41-78-50
  Télécopieur: (10) 41-20-24

- Pour la Suisse:
  **TRANSAT S.A.**
  Route des Jeunes, 4 Ter
  C.P. 125
  1211 Genève 26
  Tél.: (41-22) 342-77-40
  Télécopieur: (41-22) 343-46-46

- Pour la France et les autres pays:
  **INTER FORUM**
  Immeuble ORSUD, 3-5, avenue Galliéni, 94251 Gentilly Cédex
  Tél.: (1) 47.40.66.07
  Télécopieur: (1) 47.40.63.66
  **Commandes:** Tél.: (16) 38.32.71.00
                 Télécopieur: (16) 38.32.71.28
                 Télex: 780372

# Billy Graham

# RENAÎTRE

*Traduit de l'américain*
*par*
*Jacques Vaillancourt*

le jour,
éditeur

© 1977, 1989, Billy Graham

© 1994, Le Jour,
une division du groupe Sogides,
pour la traduction française

L'ouvrage original américain a été publié par Word Publishing
sous le titre *How to Be Born Again*
(ISBN: 0-8499-3160-6)

Tous droits réservés

Dépôt légal: 2e trimestre 1994
Bibliothèque nationale du Québec

ISBN 2-8904-4517-8

# Avant-propos

De nos jours, la «renaissance» est un sujet d'actualité. Le maga-zine *Time* publie un article de fond, *Born Again Faith*, sur ce phéno-mène. Les candidats aux élections y accordent autant d'attention qu'aux plus récentes statistiques économiques et qu'à la crise de l'énergie. Un ancien chef des Black Panthers et radical des années 1960 revient d'exil et proclame: «Ma vie a changé du tout au tout. Je suis né de nouveau.» Un homme impliqué dans l'un des scandales politiques les plus célèbres de notre époque publie un best-seller dans lequel il explique que sa vie a changé du fait qu'il est né de nouveau. Un sondage Gallup arrive à une étonnante conclusion: «plus d'un tiers des citoyens en âge de voter ont fait l'expérience d'une conversion religieuse de type "renaissance".»

Renaître!

Est-ce possible? Notre vie peut-elle être transformée?

De quoi s'agit-il? Qu'est-ce que cela signifie?

Est-ce réel? Est-ce durable?

Comment une personne peut-elle «renaître»?

«Renaître» n'est pas un terme nouveau, qui aurait été inventé par les journalistes contemporains pour décrire de nouvelles tendan-ces en matière de religion. On parlait de renaissance il y a près de deux mille ans. Une nuit, dans la vieille ville de Jérusalem, Jésus déclara à l'un des plus célèbres intellectuels de son temps: «Je te le dis, à moins de naître d'en haut, nul ne peut voir le Royaume de Dieu.» (Jean 3,3) En ces mots, Jésus nous a parlé à la fois de la pos-sibilité et de la nécessité d'une renaissance — d'une transformation spirituelle. Depuis ce temps, des millions d'êtres humains, de tout temps, ont témoigné de la réalité et de la puissance de Dieu dans leur vie grâce à leur renaissance.

Un jeune officier des Marines, ancien combattant de la guerre du Vietnam, a décrit la bataille de nuit qu'il a menée, lui et ses troupes, quand l'ennemi les a attaqués. Il restait très peu de survivants quand l'hélicoptère est venu chercher les marines. Les seize interventions chirurgicales qu'a subies le jeune officier l'ont aidé à retrouver sa force physique; mais, cette fois-là, il parlait de la renaissance spirituelle qu'il avait vécue depuis son retour dans sa patrie. «Nous promettons allégeance au drapeau de notre pays, dit-il, mais si nous ne renaissons pas grâce à la foi dans le Christ, tout ce en quoi nous croyons n'a aucune valeur.»

Ce lieutenant était né une deuxième fois.

Je pense à la grande chrétienne hollandaise, Corrie ten Boom, maintenant octogénaire. Son courage face à la persécution nazie a été source d'inspiration pour des millions d'êtres humains. Elle raconte une expérience qu'elle a vécue à l'âge de cinq ans seulement, au cours de laquelle elle a déclaré: «Je veux Jésus dans mon cœur.» Sa mère avait alors pris sa main et avait prié avec elle. «C'était tellement simple, et pourtant Jésus-Christ dit que nous devons tous aller à Lui comme des enfants, quels que soient notre âge, notre position sociale ou notre formation intellectuelle[1].»

Corrie ten Boom, à l'âge de cinq ans, était née de nouveau.

De nombreuses personnes m'ont dit, de vive voix ou dans des lettres, comment elles étaient nées de nouveau et comment cette renaissance avait transformé leur vie. Un homme de Milwaukee m'a écrit ceci: «Ce soir, ma femme et moi sommes venus à un cheveu de mettre fin à notre union. Nous sentions que nous ne pouvions plus rester ensemble dans les conditions de notre vie commune. Nous avons tous les deux avoué que nous croyions ne plus être amoureux l'un de l'autre. Je n'appréciais plus sa compagnie ni notre vie au foyer. Nous nous sommes dit des choses amères. Nous étions incapables de compromis; nous n'arrivions pas à nous entendre sur les moyens d'améliorer notre relation ni même si nous devions tenter de le faire.

«Je crois que c'est Dieu qui a voulu que j'allume mon téléviseur ce soir-là et que j'entende votre message sur la renaissance spirituelle. En vous regardant, ma femme et moi avons commencé à fouiller nos cœurs et avons senti une nouvelle vie s'animer en nous. J'ai prié pour que Dieu vienne en mon cœur et fasse véritablement de moi un nouvel homme, et qu'il m'aide à commencer une nouvelle vie. Nos difficultés conjugales semblent maintenant aplanies.»

Cet homme et cette femme sont tous deux nés de nouveau.

Que signifie «naître de nouveau»? Il ne s'agit pas d'une simple modification superficielle que nous effectuerions sur nous-mêmes. Aujourd'hui, on ne parle que de recyclage, de reconstruction et de remodelage. Nous rénovons nos maisons et y ajoutons des pièces. Dans nos villes, nous démolissons les anciens édifices pour en construire de nouveaux, en appelant cela le renouveau urbain. Des millions de dollars sont dépensés chaque année dans les établissements de cure de rajeunissement et les cliniques d'esthétique, et pour l'achat de produits de beauté toujours plus exotiques — tout cela, par des gens qui espèrent ainsi remodeler leur visage ou revivifier leur corps.

De la même façon, les gens suivent frénétiquement toutes sortes de cures destinées au renouvellement de leur vie intérieure. Certains cherchent ce renouvellement dans le cabinet des psychiatres. D'autres cherchent le renouvellement spirituel dans des religions orientales ou dans des techniques de méditation. D'autres encore recherchent dans les drogues ou l'alcool la paix intérieure et le renouvellement. Quel que soit le chemin suivi, cependant, ils aboutissent dans une impasse. Pourquoi? Simplement parce que l'homme ne peut se renouveler lui-même. C'est Dieu qui nous a créés; Lui seul peut nous recréer. Seul Dieu peut nous offrir la renaissance que nous souhaitons et dont nous avons besoin si désespérément.

Je crois que c'est l'un des sujets les plus importants dont nous puissions discuter. Les gouvernements se font élire, puis tombent. Les armées avancent, puis battent en retraite. Les hommes explorent les confins de l'espace et sondent les profondeurs des océans. Toutes ces entreprises font partie du grand projet humain sur cette planète.

Le thème central de l'univers, toutefois, reste le but ultime et la destinée de chaque individu. Chaque être humain est important aux yeux de Dieu. C'est pourquoi Il ne se contente pas de régner les bras croisés, en regardant la race humaine ballottée dans la misère et la destruction. La plus grande nouvelle dans l'univers, c'est que nous pouvons naître de nouveau! «Car Dieu a tant aimé le monde qu'Il a donné son Fils unique, afin que quiconque croit en Lui ne se perde pas, mais ait la vie éternelle.» (Jean 3,16)

Cette renaissance s'opère de toutes sortes de façons. Elle peut sembler se produire sur une période prolongée ou instantanément. Le chemin emprunté pour atteindre le point décisif peut être direct ou indirect. Quel que soit le chemin choisi, à destination nous trouvons toujours le Christ pour nous accueillir. Et la rencontre avec le Christ — la renaissance — marque le début d'un tout nouveau chemin dans la vie, sous son contrôle. Des vies peuvent être remarquablement transformées, des unions considérablement améliorées, des sociétés influencées en bien — tout cela grâce à l'apport d'individus qui savent ce que c'est de naître de nouveau.

Il se peut qu'en votre for intérieur vous ressentiez un besoin innommé, que vous ne pouvez décrire. Peut-être avez-vous consciemment cherché toute votre vie à remplir un vide dans votre cœur et à trouver un but ultime à votre vie. Peut-être, extérieurement, avez-vous connu la réussite, mais vous savez qu'elle ne vous a pas apporté la paix ni le vrai bonheur. Peut-être votre vie est-elle un enchaînement de chagrins et de rêves brisés. Peut-être êtes-vous simplement curieux.

Quel que soit le cas, je prie que Dieu se serve de ce petit livre pour vous donner espoir, pour vous montrer que vous aussi pouvez naître de nouveau.

Le présent ouvrage ne s'adresse ni aux théologiens ni aux philosophes. Il existe beaucoup d'ouvrages érudits de théologie qui sondent la signification de la nouvelle naissance (ou «régénération», comme l'appellent souvent les théologiens). Je sais que les divers théologiens privilégient différentes perspectives sur la renaissance. Certains ont mis l'accent sur l'importance de l'action de Dieu dans notre cheminement vers la foi. D'autres ont souligné l'importance de la recherche de la foi par l'homme. D'autres encore ont considéré la renaissance comme un événement unique dans le temps, tandis que certains utilisent le terme pour parler de tout ce que Dieu veut faire survenir dans notre vie. En fin de compte, la renaissance reste mystérieuse: nous ne pouvons pas la comprendre entièrement, car notre esprit est limité.

Quels que soient les désaccords des théologiens sur les détails de doctrine, la vérité capitale de la renaissance est claire: l'homme éloigné de Dieu est spirituellement mort. Il a besoin de naître de nouveau. Cette renaissance ne peut se produire que par la grâce de Dieu, par la foi dans le Christ.

Mon souci a été de rendre le présent ouvrage pratique. Même s'il est sans doute impossible de tout dire sur la renaissance, j'ai voulu dire tout ce qui est nécessaire pour aider le lecteur qui veut vraiment connaître Dieu. Je veux l'aider à vivre cette expérience transformatrice. Je veux l'aider — je veux vous aider à naître de nouveau. Je crois que Dieu veut que vous renaissiez.

Je travaillais déjà au présent ouvrage quand l'expression «naître de nouveau» a commencé à faire les manchettes. Dans mon travail d'écriture, j'ai senti la bénédiction de Dieu; j'ai senti que Dieu me poussait peut-être à écrire ce livre, au moment opportun, au moment où des millions d'humains songent à la renaissance.

J'ai remis mon manuscrit original à mes amis Paul Fromer et Carole Carlson, et leur ai demandé leur aide. Puis, avec le concours de ma femme ainsi que celui de Cliff et de Billie Barrows, je l'ai terminé dans un petit appartement qu'avaient mis à ma disposition de chers amis mexicains, pendant que je me rétablissais d'une maladie.

Je remercie donc sincèrement Bill et Vivian Mead, de Dallas, et nos merveilleux amis mexicains, la famille Servitje, qui m'ont permis de travailler et de me rétablir. Merci aussi à Paul Fromer, professeur au Wheaton College, ainsi qu'à Stephanie Wills, ma secrétaire, qui a tapé et retapé mon manuscrit. Toute ma gratitude à ma femme, pour ses encouragements et son appui; au docteur John Akers et à Millie Dienert, pour leurs commentaires; et, tout spécialement, à Carole Carlson, qui a réussi à simplifier un texte qui aurait pu sembler trop théologique à la majorité des gens de par le monde, qui, j'en prie le Ciel, le liront et feront l'expérience d'une «nouvelle naissance».

BILLY GRAHAM

*Note de l'auteur*: Dans le présent ouvrage, j'utilise les expressions «naître de nouveau», «renaissance» et «régénération» dans leur sens le plus large. Je sais qu'elles peuvent être définies d'une manière précise sur le plan théologique, mais qu'elles peuvent aussi englober tout ce que signifie le terme «salut». (Le terme *renaissance* a été utilisé au sens large et au sens strict. Il peut signifier le processus complet du salut, comprenant le travail préparatoire de conviction, le travail ultérieur d'émulation et, par la suite, la glorification. Il peut aussi ne signifier que l'acte de transmettre la vie spirituelle, à l'exclusion de la phase préparatoire et de la phase ultérieure, qui dure toute la vie.)

Je reconnais que les diverses confessions ont chacune leur interprétation. Par exemple, l'Église catholique considère que la régénération signifie toute la période de transition entre l'état de condamnation sur terre et l'état de salut au ciel. La Confession d'Augsbourg et la *Formula Concordie* donnent le sens large aux expressions «naître de nouveau» et «régénération», mais font la distinction entre justification et sanctification. Dans les Églises protestantes, comme l'Église presbytérienne, le terme est utilisé dans son acception large, mais on y fait également la distinction entre justification et sanctification. Ainsi, les théologiens de la Réforme englobent non seulement la renaissance mais tout ce qui en découle. Calvin enseignait que la renaissance, c'était le rétablissement de l'image divine en nous. Il croyait qu'elle ne se produisait pas seulement par l'infusion instantanée de vie divine dans un être spirituellement mort, mais aussi par les divers processus de croissance spirituelle qui s'ensuivaient. *La Confession de foi de Westminster* n'a jamais utilisé le terme régénération, mais a plutôt parlé de *vocation efficace*, qui englobait l'œuvre entière du Saint-Esprit dans l'application de la rédemption totale.

Ces usages des expressions «renaissance» et «régénération» ont quelquefois mené à des différences sémantiques. Dans le présent ouvrage, je ne fais pas ces distinctions. Je me contente de dire ce que la plupart des confessions croient historiquement, que l'homme a besoin de naître de nouveau, de régénération, et comment l'homme peut y arriver s'il manque d'assurance ou s'il n'a jamais pris cet engagement, qu'il soit ou non membre d'une Église.

# ◆ PREMIÈRE PARTIE ◆

# Le problème de l'homme

# ◆ CHAPITRE PREMIER ◆

# Pourquoi suis-je si vide?

Quand le vaisseau spatial *Viking* s'est posé sur Mars, le monde entier s'est exclamé: «Incroyable! Magnifique!» On avait enfin atteint la mystérieuse planète rouge. Un ingénieux robot, résultat d'un investissement d'un milliard de dollars et de l'esprit curieux de centaines de savants, avait accompli une tâche dont l'homme rêvait depuis des générations.

Percer les grands mystères de l'univers, essayer de prédire les bizarreries de la nature ou de prévoir les tendances sociales ou politiques, voilà des préoccupations modernes.

Dans le monde des affaires, par exemple, les hommes cherchent des moyens d'améliorer leur rendement. Sur les murs des bureaux et sur les tableaux d'affichage des entreprises de vente, on épingle des slogans comme «Planifiez longtemps d'avance!» ou «Planifiez votre travail et travaillez votre plan!». Les entreprises recrutent à grands frais des experts pour déterminer les façons d'améliorer leur planification. Le monde des affaires, la politique mondiale et l'économie changent si rapidement que, en quelques jours, la direction d'une nation entière peut être modifiée. Des entreprises spécialisées dans la prospective projettent la pensée dix ans ou plus dans l'avenir, pour rester au rythme de l'évolution du monde.

Dans la vie de tous les jours, nous recourons à un calendrier pour noter nos rendez-vous et planifier notre horaire. Sans planification, les enfants n'iraient jamais chez le dentiste, les mères n'assisteraient jamais aux réunions communautaires, le monde des affaires et les syndicats s'effondreraient. Nous sommes toujours à la recherche de moyens de rationaliser notre vie, de simplifier notre quotidien.

Mais qu'en est-il des grandes questions de la vie et de la mort? Planifions-nous? Avons-nous besoin de chercher des réponses aux grandes questions spirituelles et morales, pour que notre vie soit mieux ordonnée? L'homme a toujours cru que oui; c'est pour cela qu'il y a des philosophes, des psychologues et des théologiens. De nos jours, cependant, la majeure partie du monde qui recherche la connaissance et l'épanouissement ignore Dieu!

J'ai connu un jeune avocat brillant qui ne semblait pas avoir besoin de Dieu durant les années de concentration intense de sa vie d'étudiant. Plus tard, il a entrepris d'écrire un livre sur une personne célèbre. Pendant qu'il travaillait à ce livre, nous avons eu une discussion au cours de laquelle j'ai senti qu'il cherchait quelque chose sur le plan spirituel. Il espérait découvrir dans la vie de son sujet un épanouissement spirituel qu'il souhaitait pour lui-même. Il savait que le sujet de son livre était croyant et avait accepté le Christ dans son cœur. Il semblait rassuré par le fait que l'homme sur qui il écrivait était quelquefois assailli de doutes.

Ce jeune homme qui a cherché quelque chose si longtemps s'intéresse maintenant à la spiritualité. Au cours de mes premières rencontres avec lui, je croyais qu'il était agnostique, intéressé exclusivement par l'acquisition de connaissances, d'abord à l'université puis à la faculté de droit. Je pense maintenant que, durant toute l'adolescence et toute la vingtaine, il était à son insu à la recherche de Dieu.

## Le self-made-man

On nous apprend à être indépendants, à ne devoir notre réussite qu'à nous-mêmes. De tel ou tel homme, il nous arrive de dire: «Voilà quelqu'un qui a réussi!» Nous l'admirons et le respectons parce qu'il «s'est fait lui-même».

Dans une publicité télévisée bien connue, on entend même un enfant dire à sa mère: «Maman, je t'en prie, je préfère me débrouiller seul.»

Pourtant, en chacun de nous couve une frustration profonde: «Je ne devrais pas être comme je suis. J'ai été fait pour quelque chose de plus grand; il doit y avoir autre chose dans la vie. Pourquoi suis-je si vide?»

Ce sentiment, souvent inconscient, nous incite à nous efforcer d'avancer vers un objectif inconnu, sans nom. Il se peut que nous essayions d'échapper à cette recherche, que nous nous égarions dans le monde de la fantaisie, voire que nous régressions et tentions d'échapper à cette pénible vérité. Nous pourrions laisser tomber les bras, dégoûtés: «À quoi bon? Ça ne va pas si mal; je me contente de travailler et d'éviter les ennuis.» Mais au fond de nous, invariablement, une force nous pousse à reprendre notre recherche.

C'est l'une des raisons qui expliquent que le monde entier a été fasciné par *Racines*, aboutissement pour Alex Hailey de dix ans passés à la recherche de son identité. Mon ami Rod McKuen se sentait sans racines, comme s'il y avait un vide dans son cœur, quand il est parti à la recherche de son vrai père. Le livre de Job est le plus ancien que possède l'humanité; Job s'est un jour exclamé: «Oh! Si je savais comment l'atteindre, parvenir jusqu'à sa demeure.» (Job 23,3)

Cette recherche transcende la race, l'âge, la situation économique, le sexe et l'éducation reçue. Ou bien l'homme n'a commencé nulle part et cherche un endroit où aller, ou bien il a commencé quelque part et il s'est égaré. Dans les deux cas, il cherche quelque chose. Aucun d'entre nous ne trouvera jamais la «satisfaction totale», à moins qu'il ne prenne conscience que ses racines sont plantées dans l'éternité.

Un savant célèbre d'une université de la côte est a demandé à me voir. Quelque peu étonné, je l'ai rencontré dans une salle de lecture de l'Union des étudiants. Soudainement, cet homme admiré de tous et reconnu comme un leader dans sa discipline a éclaté en sanglots. Quand il a retrouvé son calme, il m'a dit: «Je suis arrivé à un point où je veux mettre un terme à ma vie… Mon ménage est raté, je bois en secret, mes enfants ne me respectent pas. Je n'ai jamais vraiment eu de principes directeurs dans ma vie, à part celui d'être reconnu dans ma spécialité, la physique. Je me rends compte que je ne connais pas les vraies valeurs de la vie. Je vous ai vu à la télévision et, même si je ne comprends pas tout le message que vous essayez de communiquer, j'ai la conviction que vous connaissez le véritable sens de la vie.»

Il a hésité un moment. Je suis sûr que ce que m'a dit par la suite ce *self-made-man* célèbre lui a été très difficile à dire: «Je suis venu vous demander votre aide.» C'était un appel désespéré.

Dans tous les pays et toutes les cultures, chez les hommes qui ne savent pas lire comme chez les prix Nobel, un phénomène ancien se manifeste, le mystère de l'*anthropos*: l'homme cherche le sens le plus profond, souvent caché, de la vie.

Dans les aéroports, dans les avions, dans les halls d'hôtel, partout au monde, des gens sont venus me faire part de leurs graves préoccupations: rupture des relations familiales, ennuis de santé ou catastrophes financières. Mais, le plus souvent, c'est le vide de leur âme qu'ils viennent me confier. Un jour, dans un avion, un homme a commencé à me faire le récit de sa vie. C'était une histoire de rêves brisés, d'espoirs anéantis et de vide intérieur. Avant que nous nous quittions, il est arrivé à dire oui au Christ. Un immense soulagement se lisait sur son visage quand il m'a murmuré: «Merci!»

À l'atterrissage, je l'ai vu embrasser sa femme tout en lui parlant avec animation. J'ignore la nature de leur conversation, mais, à en juger par son expression, il était évident qu'il lui parlait de sa nouvelle relation avec le Seigneur. Je ne peux qu'imaginer à quel point elle a dû être étonnée du changement qui s'était opéré en lui, puisqu'il m'avait raconté que ses sautes d'humeur et ses infidélités étaient sur le point de briser sa relation avec sa femme.

Ne l'ayant jamais revu, je ne sais pas si son ménage s'est ressoudé, mais il est certain que cet homme a changé la direction de sa vie durant notre vol.

## Gloire et fortune

L'une des personnalités les mieux connues du *show-business* m'a prié de la rencontrer dans sa loge, après un spectacle auquel j'avais participé. Cet homme m'a dit: «Je fais rire le public… mais, au fond de moi-même, c'est l'enfer. Je me suis marié deux fois; deux fois, j'ai divorcé. Tout cela a été en grande partie de ma faute, je suppose. Je ne crois pas que j'arriverai à faire marcher un troisième mariage si je ne trouve pas un certain épanouissement, et cet épanouissement, je ne sais pas comment l'obtenir.»

Il s'est tu et m'a regardé. Puis il m'a demandé: «Croyez-vous que ce que je recherche, au fond, peut se résumer par le mot *Dieu*?»

Toute sa gloire et toute sa fortune n'avaient pas satisfait son cœur plein d'interrogations.

Tom Phillips était destiné à jouer un très grand rôle dans la vie de Charles Colson, l'un des grands acteurs de l'affaire Watergate. Colson écrit dans son livre, *Born Again*, que Phillips lui a dit un jour: «C'est peut-être difficile à comprendre… mais il semblait que je ne possédais rien qui compte. Tout cela était superficiel. Toutes les choses matérielles de la vie n'ont aucun sens si l'homme n'a pas découvert ce qui se trouve en dessous…

«Un soir que je me trouvais à New York pour affaires, j'ai appris que Billy Graham avait organisé une Campagne à Madison Square Garden. J'y suis allé — sans doute par curiosité — peut-être dans l'espoir de trouver quelques réponses. Ce que Graham a dit ce soir-là a éclairé mon esprit. J'ai vu ce qui manquait à ma vie: une relation personnelle avec Jésus-Christ, que je n'avais jamais invité dans ma vie, dans les mains de qui je n'avais pas placé ma vie. C'est ce que j'ai fait ce soir-là, grâce à cette Campagne[1].»

Voilà un autre homme qui s'est vu obligé d'examiner son âme.

Un jour que je me trouvais à l'étranger, j'ai été invité à déjeuner avec un homme qui, sur le plan matériel, possédait tout ce que le monde peut offrir. En fait, il m'a dit qu'il pouvait acheter tout ce dont il pouvait avoir envie. Dans le cadre de ses affaires, il avait voyagé de par le monde; tout ce qu'il touchait se changeait en or. Il était le leader de son milieu social. Pourtant, voilà ce qu'il m'a dit: «Je suis un vieil homme pitoyable, destiné à mourir. Si l'enfer existe, c'est là que je me dirige tout droit.»

J'ai regardé dehors, à travers les magnifiques fenêtres d'époque. De légers flocons de neige tombaient sur une pelouse soigneusement entretenue. J'ai pensé à d'autres hommes qui, comme lui, m'avaient confié les mêmes pensées sur le vide d'une vie sans Dieu, sur la vie dénuée de sens de ceux qui possèdent tout ce qu'il faut pour vivre, mais qui n'ont pas de raison de vivre. Mon attention s'est reportée sur lui quand il m'a dit: «Je vous ai demandé de me rencontrer pour que vous me lisiez la Bible et que vous me parliez de Dieu. Pensez-vous qu'il soit trop tard? Mon père et ma mère croyaient en Dieu et ont souvent prié pour moi.»

Le verset 4,4 de Matthieu m'est soudainement venu à l'esprit: «Ce n'est pas de pain seul que vivra l'homme.» Et Luc 12,15 nous apprend ceci: «Au sein même de l'abondance, la vie d'un homme n'est pas assurée par ses biens.»

Tous les jours, les journaux parlent de gens riches, célèbres ou doués qui sont désabusés. Beaucoup d'entre eux se tournent vers l'occulte, la méditation transcendantale ou les religions orientales. D'autres se dirigent vers le crime. Les questions qu'ils croyaient réglées ne le sont pas: Qu'est-ce que l'homme? D'où vient-il? Quelle est la raison de son existence? Où s'en va-t-il? Y a-t-il un Dieu bienveillant? Si Dieu existe, s'est-Il révélé à l'homme?

## *L'intellectuel cherche-t-il lui aussi?*

Les hommes et les femmes qui sont considérés comme faisant partie de la communauté intellectuelle cherchent eux aussi le sens de la vie et le même sentiment d'épanouissement que les autres, mais beaucoup sont entravés par leur orgueil. Ils aimeraient se sauver eux-mêmes, parce que l'orgueil alimente l'estime de soi et fait croire à l'homme qu'il peut se débrouiller sans Dieu.

Bertrand Russell, le célèbre philosophe et écrivain britannique, a beaucoup écrit sur l'éthique, sur la morale et sur la société humaine, essayant de prouver ce qu'il considérait comme des erreurs dans la Bible. Pour ce qui est de l'orgueil des intellectuels, Russell a écrit: «Tous les hommes aimeraient être Dieu, si c'était possible; certains ont de la difficulté à admettre cette impossibilité[2].»

Depuis l'aube des temps, l'homme a dit, comme Lucifer: «Je m'égalerai au Très-Haut.» (Isaïe 14,14)

La quête continue. Le cœur a besoin d'être rempli. La plupart des intellectuels en viennent à un moment dans leur vie où l'académie, la communauté scientifique, le monde des affaires ou les activités politiques ne suffisent plus.

Un brillant observateur de la scène culturelle a écrit: «L'homme, parce qu'il est humain, essaie d'échapper à la logique de sa propre situation et recherche sa vraie identité, son humanité, sa liberté, même s'il ne peut y arriver que par pure irrationalité ou par un mysticisme dénué de tout fondement[3].»

Nous constatons les résultats de cette recherche de l'homme pour trouver son identité authentique dans l'éclosion des nouveaux cultes, des expériences mystiques et de ce que l'on appelle Nouvelle Conscience. «Aujourd'hui, l'homme veut faire l'expérience de Dieu. Ce n'est pas de foi ni de connaissance qu'il s'agit, mais d'expérience[4].»

À mesure que s'intensifie le désir de connaître cette expérience, les philosophies fallacieuses et les faux dieux deviennent acceptables. Un intellectuel européen écrit: «Pendant des siècles, on a cherché à atteindre l'idéal que les Grecs appelaient *ataraxia*, l'absence de trouble, la satisfaction intérieure profonde, au-delà de l'agitation, de la frustration et de la tension de la vie normale. Nombreux sont ceux qui ont cherché l'ataraxie au moyen de la philosophie et de la religion, mais, parallèlement, on a toujours été à la recherche de raccourcis[5].»

Un érudit américain écrit: «Tandis que l'homme intensifiera sa recherche de nouvelles expériences, de nouveaux maîtres et de nouveaux espoirs, il conservera le désir permanent de trouver un autre chemin vers ce qui apparaît comme un avenir sombre[6].»

Les hommes veulent désespérément la paix; toutefois la paix de Dieu n'est pas l'absence de tension ou de bouleversement, mais l'apaisement au milieu de la tension et du bouleversement.

À Calcutta, en Inde, j'ai voulu voir cette grande servante de Dieu connue dans le monde entier sous le nom de Mère Teresa. Je suis arrivé tôt dans la soirée. Les religieuses répugnaient à déranger Mère Teresa parce que, durant la journée, trois hommes étaient morts dans ses bras et qu'elle s'était retirée dans sa chambre pour se reposer un peu. Cependant, l'officiel qui m'avait conduit chez elle lui ayant envoyé une note, celle-ci est venue me rejoindre quelques minutes plus tard. J'ai immédiatement eu l'impression que cette sainte femme était une personne qui connaissait la paix au milieu de l'agitation. Une paix qui dépasse toute compréhension, et toute incompréhension aussi.

Ô combien avons-nous besoin de ce genre de paix dans une génération déchirée par l'agitation intérieure et le désespoir! Les journaux quotidiens sont des modèles frappants de perspective négative. Terrorisme, attentats à la bombe, suicides, divorces, pessimisme généralisé, voilà les maladies de l'époque, parce que, à cause de son orgueil, l'homme refuse de se tourner vers Dieu!

L'intellectuel honnête, toutefois, celui qui garde l'esprit ouvert en plus de laisser son cœur chercher la vérité, est destiné à faire une découverte saisissante. Le docteur Rookmaaker écrit: «Nous ne pouvons parfaitement comprendre Dieu ni son œuvre. Mais on ne nous demande pas de l'accepter dans une foi aveugle. Tout au contraire: on nous demande de regarder autour de nous et de savoir que ce qu'Il nous dit par l'intermédiaire de son Fils et de ses prophètes est vrai, concret et applicable dans ce monde, dans le cosmos qu'Il a créé.

«Par conséquent, notre foi ne peut jamais être quelque chose d'inattendu, d'irrationnel. La foi n'est pas un sacrifice de l'intellect si nous croyons au récit biblique de l'histoire[7].»

## Qui a besoin d'aide?

L'un des nombreux films de «catastrophe» produits au cours des années 1970 était intitulé *Tremblement de terre*. Quand le terrible séisme se produit, deux des principaux personnages du film trouvent refuge sous un lourd véhicule, protégés contre les projections de débris et contre la nature déchaînée. Ils ne se sont pas mis à raisonner sur ce qui était en train de se passer; ils n'ont pas analysé ce qu'ils devaient faire; ils savaient qu'ils avaient besoin d'aide, et ils se sont jetés sous le véhicule.

La personne qui éprouve de graves difficultés dans la vie veut qu'on l'aide immédiatement. Elle n'a pas besoin d'analyser d'où pourrait venir cette aide; elle sait simplement qu'elle a besoin d'être sauvée.

Quand il s'agit des désastres entraînés par nos tremblements de terre intérieurs, certains intellectuels veulent connaître la source de l'aide et tous les détails concernant cette source. L'intellectuel possède un certain ensemble de croyances qui se suffisent à elles-mêmes et il croit que cet ensemble est complet. Certains intellectuels acceptent aveuglément les contrefaçons qui peuvent être voilées par un langage et une pensée si complexes qu'en nier les prémisses paraîtrait pure ignorance. D'autres ont beaucoup de difficulté à dire: «Cela n'a pas vraiment de bon sens et je ne comprends pas ce qui est dit.»

Néanmoins, beaucoup d'intellectuels curieux ont ouvert leur esprit et leur cœur à la vérité de la Bonne Nouvelle et y ont trouvé une nouvelle vie.

Une jeune Hindoue qui poursuivait des études de troisième cycle en médecine nucléaire à l'UCLA commençait à peine sa seconde année d'études quand elle est venue à une Campagne. À la fin du rassemblement, elle avait accepté le Christ comme son Sauveur, et elle était née de nouveau.

Un brillant chirurgien assistant à une Campagne m'a entendu dire que si notre Ciel dépendait de nos bonnes actions, je ne m'attendrais pas à y accéder. Il avait consacré sa vie à aider l'humanité, mais il se rendait compte que toute sa formation, les années de dur travail et de dévouement, les nuits blanches passées auprès de ses patients et son amour pour sa profession ne lui vaudraient pas une place auprès de Dieu. Cet homme, qui avait été témoin de nombreuses naissances, a su ce que c'est que de naître de nouveau.

Nombreux sont ceux qui croient que le Christ n'a parlé qu'aux laissés pour compte et aux enfants. L'une de ses plus célèbres rencontres durant son ministère s'est faite avec un intellectuel. Cet homme, Nicodème, adhérait à un système philosophique et théologique très rigide, un système très bon au centre duquel se trouvait Dieu. Cependant, cet «intellectuel» avait structuré son système religieux philosophique sans tenir compte de la renaissance — que l'on ne peut trouver qu'en Jésus-Christ!

Qu'est-ce que Jésus, le fils d'un charpentier de Nazareth, a dit à cet homme instruit? À peu près ceci: «Nicodème, je regrette de ne pouvoir te l'expliquer. Tu as vu quelque chose qui a semé le trouble en toi, qui ne s'intègre pas dans ton système de pensée. Tu reconnais que je ne suis pas un homme ordinaire, que j'agis avec la puissance de Dieu. Cela ne te paraît peut-être pas sensé, mais je ne peux te l'expliquer parce que tes hypothèses ne permettent pas de point de départ. Nicodème, pour toi, tout cela est "illogique". Rien dans ta façon de penser ne l'admet. À moins de naître d'en haut, nul ne peut voir le Royaume de Dieu. Il te faudra naître de nouveau.»

Nicodème était ébahi: «Comment un homme peut-il naître étant vieux? Peut-il une seconde fois entrer dans le sein de sa mère et naître?» (Jean 3,4)

L'intellectuel demande: «Comment l'homme peut-il naître deux fois?»

Celui qui souhaite trouver réponse à cette question doit rejeter la plus grande partie de son ancien système de croyances pour en adopter un nouveau. Il verra alors la possibilité de ce qu'il croyait naguère impossible.

«Cela explique aussi pourquoi cette foi uniquement "impossible" — un Dieu dont l'Incarnation est terrestre et historique, une Rédemption contraire à la nature humaine, une Résurrection qui remet en question l'irrévocabilité de la mort — offre autre chose que la poussière inéluctable de la mort et, par une renaissance, ouvre la voie vers une nouvelle vie[8].»

Non loin de notre maison, dans les montagnes, un petit avion a disparu avec quatre personnes à bord. À peu près le même jour, une adolescente de 15 ans s'est perdue dans la même région des Appalaches. Notre petite collectivité a alors traversé une dure période de tristesse: les quatre passagers de l'avion sont morts, et la jeune fille n'a jamais été retrouvée.

Un homme venu nous aider à faire face à ces événements tragiques a raconté à ma femme une histoire tirée de sa propre expérience: étant né dans ces montagnes et y ayant grandi, il pensait qu'il ne s'y perdrait jamais. Les montagnes constituaient son terrain de jeu quand il était enfant, et son terrain de chasse, une fois adulte. Un jour, cependant, il s'était égaré dans les broussailles et avait dû grimper de peine et de misère sur les rochers, ne sachant plus où il se trouvait. Il avait erré pendant un bout de temps, retournant sur ses pas, jusqu'à ce qu'il rencontre un vieillard dans une hutte de montagne. Il a raconté à ma femme qu'il n'oublierait jamais le conseil prodigué par le vieil homme: «Quand tu te perds en montagne, ne descends jamais. Cherche à monter le plus haut possible. Là-haut, tu pourras t'orienter et retrouver ton chemin.»

Nous risquons de nous perdre dans les montagnes de la vie. Le choix est simple: soit que nous descendions et nous perdions dans les drogues, la dépression, le vide et la confusion, soit que nous continuions de monter. La direction choisie déterminera si oui ou non nous nous retrouverons.

En cette Ère d'Interrogation, ce qui compte le plus, c'est la quête de réponses aux questions sur la vie et sur Dieu. Cette quête nous poussera dans la seule bonne direction, d'une seule façon. Et nous aurons entrepris ce voyage quand nous serons nés de nouveau.

# ◆ CHAPITRE 2 ◆

# Quelqu'un peut-il me dire
# où trouver Dieu?

Un soir, dans la rue, un ivrogne cherchait quelque chose sous la lumière d'un réverbère. Il cherchait à tâtons sur le sol, en s'appuyant occasionnellement sur le poteau pour ne pas tomber. Un passant lui a demandé ce qu'il cherchait. «J'ai perdu mon portefeuille.» Le passant lui a offert de l'aider à le trouver, mais en vain.

— Êtes-vous certain de l'avoir perdu ici?

— Bien sûr que non, je ne l'ai pas perdu ici. Je l'ai perdu dans l'autre rue!

— Alors, pourquoi le chercher ici?

— Parce que, là-bas, il n'y a pas de réverbères, a répondu l'ivrogne avec une logique déroutante.

Il est important de chercher, mais il ne sert à rien de chercher au mauvais endroit.

Le gouverneur d'un des États voisins nous a reçus chez lui, ma femme et moi. Après le dîner, il a demandé à me parler en privé. Nous nous sommes rendus dans son bureau. Je voyais bien qu'il était aux prises avec ses émotions. Finalement, il m'a avoué: «Je suis au bout de mon rouleau. J'ai besoin de Dieu. Pouvez-vous me dire comment le trouver?»

Un jeune homme, qui s'était aguerri et endurci chez les bérets verts — si fort que ses mains étaient considérées comme des armes mortelles — est un soir tombé à genoux dans sa chambre, sanglotant comme un enfant impuissant: «Mon Dieu, mon Dieu, où êtes-Vous donc?»

Dans les ghettos comme dans les quartiers chic, du notable dans sa communauté jusqu'au condamné à mort dans sa cellule, l'homme se demande si Dieu existe. Et s'Il existe, comment est-Il?

Fait remarquable pour tous ceux qui sont en quête de Dieu, c'est que la croyance en un Être supérieur est pour ainsi dire universelle. Quelles que soient la période de l'histoire et la culture que l'on étudie, on trouve toujours que tous les peuples, primitifs ou modernes, reconnaissent l'existence d'une certaine divinité. Au cours des deux derniers siècles, les archéologues ont exhumé les ruines de nombreuses civilisations anciennes, mais nulle n'a jamais été trouvée qui laisse supposer l'absence d'un culte à un dieu. L'homme a adoré le soleil et sculpté des idoles. L'homme a adoré des lois, des animaux, d'autres hommes. Certains hommes ont semblé s'adorer eux-mêmes. L'homme a créé des dieux dans son imagination, même si fondamentalement, dans le brouillard de sa confusion, il a toujours cru que Dieu existe.

Certains, frustrés, abandonnent leur recherche de Dieu, se disant «athées» ou «agnostiques», professant leur irréligion. Ils remplissent alors leur vide intérieur par d'autres types d'idoles, créant leur propre «dieu»: argent, travail, réussite, gloire, sexe, alcool, ou nourriture.

Aujourd'hui, beaucoup de ces hommes font de leur nation l'objet de leur adoration et embrassent l'évangile du nationalisme. Ils commettent l'erreur d'essayer de remplacer le Dieu authentique et vivant par la religion du nationalisme. D'autres déifient la cause qu'ils défendent. Même si de nombreux groupes de radicaux refusent d'admettre la foi en Dieu, ils sont des milliers à mettre délibérément leur vie en jeu, et à souffrir privations et pauvreté, parce qu'ils croient à leur «cause» ou à la «révolution».

N'arrivant pas à trouver le vrai Dieu, des millions d'hommes se soumettent à ces dieux et à ces causes. Cependant, ils n'y trouvent ni réponses ni satisfaction. Tous les hommes, comme Adam avant eux, ont été créés pour entrer en communion avec Dieu. À propos du premier commandement, Jésus a dit: «Tu aimeras le Seigneur ton Dieu de tout ton cœur, de toute ton âme, de tout ton esprit et de toute ta force.» (Marc 12,30)

Il signifiait ainsi que l'homme, contrairement à la pierre ou à l'animal, possède la capacité d'aimer Dieu.

## Recherche mutuelle

Même si l'homme sage recherche Dieu, nous avons vu qu'il n'a pas la capacité intellectuelle d'arriver à Lui par la voie du raisonnement. Il doit s'interroger profondément: «Y a-t-il un espoir que je réussisse cette recherche? Puis-je vraiment connaître Dieu?»

Un jour, Ludovic Kennedy, qui m'interviewait sur les ondes de la BBC de Londres, m'a demandé ceci: «Qui a créé Dieu?» La réponse était simple: «Personne n'a créé Dieu.» Dieu est.

«Au commencement, Dieu...», voilà les paroles qui constituent la pierre angulaire de toute existence. Sans Dieu, il n'y aurait eu ni commencement ni continuation. Dieu est la puissance créatrice, la force de cohésion qui a fait sortir le cosmos du chaos. Par sa volonté, Il a donné forme à l'informe, mis de l'ordre dans le désordre, fait jaillir la lumière des ténèbres.

Les savants ne peuvent pas voir Dieu dans une éprouvette ou un télescope. Dieu est Dieu, et l'esprit humain est trop petit!

Blaise Pascal, physicien et philosophe, a écrit: «Une unité ajoutée à l'infini n'y ajoute rien de plus qu'ajoute un pied ajouté à une longueur infinie. Le fini se fait avaler par l'infini et devient pur zéro. Il en est ainsi de notre esprit devant Dieu.»

Quelle route prendre dans notre recherche de ce grand Dieu? Comment un être humain créé, fini, limité dans le temps et l'espace, comprendrait-il un Dieu infini?

Nous ne devrions pas trouver étrange le fait qu'il nous soit impossible de saisir Dieu intellectuellement. Après tout, nous vivons dans un monde de mystères que nous sommes incapables d'expliquer, et pourtant ce sont des mystères bien plus simples. Qui peut expliquer pourquoi les objets sont constamment attirés vers le centre de la terre? Newton a formulé la loi de la gravitation universelle, mais n'a pas pu l'expliquer. Qui peut expliquer la reproduction des êtres vivants? Les savants tentent depuis des années de reproduire une cellule vivante et de résoudre le mystère de la procréation. Ils croient être sur le point de la découverte, mais ils n'ont pas réussi jusqu'à présent.

Nous sommes habitués à accepter comme des faits bien des mystères dont l'explication nous échappe. Je suis toujours étonné quand ma femme mélange farine, graisse, œufs, poudre à pâte et babeurre, de voir cette mixture liquide lentement gonfler dans le four et en sortir en pâte légère et croustillante. Je ne comprends pas le phénomène, mais j'en accepte les résultats.

Dieu dépasse de loin en complexité tous les phénomènes terres-
tres que nous ne comprenons pas. Cependant, nous pourrions présenter
de nombreuses preuves à un jury des plus sceptique qui démontre-
raient l'existence de Dieu. En science, nous savons que tout corps en
mouvement a dû subir l'influence d'un autre corps, puisque le mouvement est la réaction de la matière à une force. Pourtant, dans le monde
de la matière, il ne peut y avoir de force sans vie, et cette vie présup-
pose l'existence d'un être duquel émane la force nécessaire au mouvement des marées ou des planètes, par exemple.

Selon un autre argument, aucun effet ne peut être sa propre
cause. Si ce n'était pas le cas, l'effet serait antérieur à la cause, ce qui
devient une absurdité!

Songez à la loi de la vie. Nous voyons des objets dénués d'esprit,
comme les étoiles et les planètes, qui décrivent une trajectoire constante, coopérant ingénieusement les uns avec les autres. Il est évident
que leur mouvement n'est pas le fruit du hasard mais d'une volonté.

Ce qui est dépourvu d'intelligence ne peut pas se mouvoir d'une
façon intelligente. Qu'est-ce qui donne orientation et dessein à ces
objets inanimés? C'est Dieu, la force de vie fondamentale et agissante.

De nombreux éléments de preuve et bien des raisonnements laissent supposer l'existence de Dieu; pourtant, en fait, l'existence de
Dieu ne peut pas être prouvée par de simples raisonnements intellectuels. Si l'esprit humain était en mesure de prouver hors de tout doute
l'existence de Dieu, Il ne serait pas plus grand que l'esprit qui aurait
prouvé son existence!

En fin de compte, c'est la foi qui doit mener l'homme vers Dieu.
La foi constitue le lien qui unit l'homme à Dieu. Les Écritures nous
enseignent que nous devons croire qu'*Il est*. C'est pour cela que le mot
«foi» revient souvent dans la Bible, et Dieu s'est efforcé d'encourager
cette foi. Dieu continue de rechercher l'homme — tout comme
l'homme Le recherche.

Malgré les révoltes répétées de l'homme, Dieu l'aime éternellement. Certains pères abandonnent la partie quand leurs enfants
adoptent des habitudes répréhensibles ou se tiennent en mauvaise
compagnie. Certains pères jettent même leurs enfants à la rue et leur
interdisent de jamais revenir au foyer. D'autre part, certains pères,
même des mères, rejettent leur enfant avant sa naissance. Nous
connaissons des enfants et des adultes qui portent encore les cicatrices
de ce rejet par leurs parents. Le seul moyen pour ces êtres de guérir,
c'est d'accepter la réalité et de demander au Seigneur de combler

l'absence. La Bible nous dit: «Si mon père et ma mère m'abandonnent, Yahvé m'accueillera.» (Psaumes 27,10)

Dieu n'a jamais abandonné l'homme. La recherche la plus spectaculaire de tous les temps, c'est la recherche menée par Dieu avec amour et patience pour retrouver l'homme.

Quand l'homme, au jardin d'Éden, a choisi de défier la loi de Dieu, de rompre la voie de communication avec Lui, la communion est devenue impossible. La lumière et les ténèbres ne pouvaient coexister. Pourquoi cette rupture s'est-elle produite entre Dieu et sa créature? La réponse est une caractéristique de Dieu que la personne moyenne ne peut comprendre. Dieu est «sainteté» absolue.

Il y a bien longtemps, Dieu a dit à Moïse: «Moi, Yahvé votre Dieu, je suis saint.» (Lévitique 19,2)

Dans l'Apocalypse, au ciel, on ne cesse de répéter jour et nuit: «SAINT, SAINT, SAINT, SEIGNEUR, DIEU MAÎTRE-DE-TOUT, Il était, Il est et Il vient.» (Apocalypse 4,8)

Un Dieu saint trouve notre mal répugnant; Il ne peut accepter le péché parce qu'Il le trouve laid et dégoûtant. Puisque l'homme était souillé par le péché, Dieu ne pouvait plus être en communion avec lui. Cependant, *Dieu nous aime — malgré nous!*

Dieu avait un plan pour rétablir la communion avec l'homme, malgré son péché. Si Dieu n'avait pas eu de plan, personne d'autre n'aurait pu en avoir un! Il avait dit à Adam et à Ève, au moment même où ils avaient enfreint sa loi: «Tu deviendras passible de mort.» (Genèse 2,17) Dans un autre chapitre, nous parlerons des trois dimensions de la mort. L'homme devait mourir, sinon Dieu aurait dû revenir sur sa parole; et Dieu ne peut être menteur, sinon Il ne serait plus Dieu.

Nous voyons bien que puisque l'homme pèche encore, qu'il continue de défier l'autorité et se conduit indépendamment de Dieu, un grand gouffre le sépare de Lui. L'homme et la femme du XXe siècle ne sont pas différents d'Adam et d'Ève. Nous jouissons peut-être d'une technologie avancée, nous avons érigé quelques gratte-ciel et écrit plusieurs millions de livres, mais il subsiste toujours un grand gouffre entre le pécheur et le Dieu saint. Pourtant, de l'autre côté de ce sombre précipice, Dieu appelle l'homme, l'implore même de se réconcilier avec Lui.

Dieu nous aime.

L'apôtre Jean a dit: «Dieu est Amour!» (1 Jean 4,8).

Le prophète Jérémie cite la parole de Dieu: «D'un amour éternel je t'ai aimée, aussi t'ai-je maintenu ma faveur.» (Jérémie 31,3)

Un autre prophète, Malachie, a dit: «Je vous ai aimés! dit Yahvé.» (Malachie 1,2)

Dans tous les bons romans et toutes les bonnes pièces de théâtre, le conflit doit exister. Mais même Shakespeare n'aurait pu créer une intrigue plus fascinante que celle du dilemme divin. Nous savons que l'homme est pécheur et éloigné de Dieu. Du fait que Dieu est saint, Il ne pouvait pas pardonner automatiquement ou ignorer la révolte de l'homme. Du fait que Dieu est amour, Il ne pouvait pas, non plus, rejeter l'homme définitivement. Dilemme. Comment Dieu peut-Il être à la fois juste et justicier? C'est la question que s'est posée Job: «L'homme pourrait-il se justifier devant Dieu?» (Job 9,2)

## Dieu nous parle

Quand j'étais enfant, la radio commençait à se répandre. Nous nous rassemblions autour d'un poste rudimentaire et faisions tourner les trois boutons de réglage pour essayer d'établir le contact avec le poste transmetteur. Il arrivait souvent que le haut-parleur ne crache que de la friture. Tous ces sons étaient loin d'être intéressants à écouter, mais nous continuions à jouer avec les boutons en espérant trouver une station émettrice. Nous savions que, quelque part, il y avait une station invisible et que, si le contact se faisait, si les boutons étaient bien réglés, nous entendrions une voix forte et claire. Après de longs efforts de réglage, une voix ou une musique jaillissait dans le haut-parleur. Un sourire de triomphe éclairait alors chacun de nos visages. Enfin, nous étions en syntonie avec l'émetteur!

Peut-être êtes-vous perplexe devant les prophètes qui disent que Dieu leur a parlé. Nous parle-t-Il? Nous dit-Il où et comment Le trouver — comment se justifier devant Lui? La Parole de Dieu en réponse à ces questions fait l'objet de la deuxième partie du présent ouvrage, qui porte sur le genre d'être qu'est Dieu et sur son œuvre. Dieu a résolu le problème, Il nous parle de Lui et de son amour pour nous. La voie de communication entre Lui et nous, c'est la «révélation».

«Révéler», c'est «dévoiler». Pour qu'il y ait révélation, il doit y avoir un «révélateur», en l'occurrence Dieu. Il doit aussi y avoir des «écoutants», les prophètes et les apôtres qui ont été choisis pour consigner sa parole dans la Bible. La révélation, c'est la communication entre l'homme et son Dieu.

Dans la révélation que Dieu a établie entre Lui et l'homme, nous pouvons trouver une nouvelle dimension à la vie, mais à condition d'entrer en «syntonie» avec Lui. Des niveaux de vie comme nous n'en

avons jamais connu nous attendent. Paix, satisfaction et joie sans précédent sont à notre disposition. Dieu essaie de nous rejoindre en com-
muniquant avec nous. Le ciel nous appelle et Dieu nous parle!

Avez-vous entendu la voix de Dieu? Au moment même où vous
Le cherchez, Il vous parle.

# ◆ CHAPITRE 3 ◆

# Dieu nous parle-t-Il vraiment?

Dieu nous a parlé dès le début des temps. Adam a entendu la voix du Seigneur dans le jardin d'Éden. Dieu a aussi parlé à Ève. Elle connaissait Celui qui lui parlait; aussi, elle a dû trembler de frayeur, sachant qu'elle Lui avait désobéi.

Cet homme et cette femme ont choisi de désobéir à Dieu et, ce faisant, ont plongé dans un monde de ténèbres et de mort sur le plan spirituel; dans un monde non productif, sur le plan physique, autrement que par le dur labeur et la souffrance. Le jugement de Dieu s'abattait sur l'humanité. La Bible nous enseigne que l'homme vit dans l'obscurité spirituelle. «Le dieu de ce monde a aveuglé l'entendement [des incrédules].» (2 Corinthiens 4,4)

Isaïe, le grand prophète hébreu, a dit: «Nous tâtonnons comme des aveugles cherchant un mur, comme privés d'yeux nous tâtonnons. Nous trébuchons en plein midi comme au crépuscule, parmi les bienportants nous sommes comme des morts.» (Isaïe 59,10)

Isaïe donnait là une description vivante de ce qui ressemble à la cécité physique, mais qui est en fait l'obscurité de l'esprit.

Devenir prisonnier des ténèbres physiques peut être une expérience troublante. Un soir, en Angleterre, juste après la Seconde Guerre mondiale, Cliff Barrows et moi roulions dans un brouillard si épais que l'un de nous a dû descendre de la voiture et marcher devant, pour que notre véhicule ne roule pas sur le trottoir. C'était là une expérience toute nouvelle, une espèce d'«obscurcissement» plutôt angoissant.

Combien pire cela doit être de rester à jamais spirituellement aveugle et prisonnier! Certaines personnes ont perdu la vue mais «voient» quand même mieux que quelqu'un qui n'est pas aveugle.

Je connais une petite Coréenne dont la voix a été qualifiée d'«électrique». En outre, elle joue magnifiquement du piano. Pourtant, elle est aveugle. Kim voit plus de choses que bien des gens dont la vision est parfaite; elle ne considère pas sa cécité comme un handicap, mais comme un cadeau de Dieu. Je l'ai trouvée capable d'une perspicacité mentale, psychologique et spirituelle hors du commun.

L'homme est également sourd sur le plan spirituel. Un autre grand prophète a dit que les gens ont «des oreilles pour entendre, mais n'entendent point». (Ézéchiel 12,2) Jésus a même été jusqu'à dire: «Du moment qu'ils n'écoutent pas Moïse et les Prophètes, même si quelqu'un ressuscite d'entre les morts, ils ne seront pas convaincus.» (Luc 16,31)

La différence entre la surdité physique et la surdité mentale m'apparaît clairement au cours de mes Campagnes. Nous réservons toujours une section aux malentendants; je m'y suis souvent rendu pour serrer la main de ces hommes et de ces femmes. À l'occasion de l'une de ces Campagnes, on a conduit à mon bureau une douzaine de ces personnes auxquelles j'ai pu parler par l'intermédiaire d'un interprète. De toute évidence, la lumière de Dieu éclairait le visage de beaucoup d'entre eux.

Ceux d'entre nous dont l'ouïe est intacte éprouvent de la difficulté à comprendre le monde de la surdité. Pourtant, nous vivons chaque jour dans un monde de surdité spirituelle.

Sur le plan spirituel, beaucoup d'hommes et de femmes sont bien plus que sourds et aveugles: ils sont morts. «Vous qui étiez morts par suite des fautes et des péchés.» (Éphésiens 2,1)

Il n'y a aucune communication entre Dieu et celui qui est spirituellement mort. Des millions d'êtres humains aspirent à un monde de joie, de lumière, d'harmonie et de paix; pourtant, ils ont sombré dans un monde de pessimisme, de ténèbres, de discorde et d'agitation. Ils recherchent le bonheur, mais celui-ci leur échappe, tout comme le rayon de soleil échappe à l'enfant qui essaie de le saisir.

Nombreux sont ceux qui abandonnent leur recherche et sombrent dans le pessimisme. Leur abattement les mène souvent dans un tourbillon de cocktails ou de sorties dans les bars, où ils échappent à la réalité de leur monde en plongeant dans le monde imaginaire de l'alcool. Certains recourent aux drogues, d'autres à la pratique effrénée d'un hobby ou d'un sport. Ce sont là les symptômes de l'évasion de la réalité, maladie causée par une infection insidieuse nommée péché.

Nombreux sont ceux qui veulent disséquer Dieu à la lumière de leur microscope. Après avoir établi leurs propres méthodes d'analyse, ils n'arrivent à aucune conclusion. Dieu reste pour eux le grand silence cosmique, l'inconnu, l'invisible. Cependant, Dieu communique avec ceux qui veulent Lui obéir. Il éclaire les ténèbres silencieuses en Se révélant dans la nature, dans la conscience humaine, dans les Écritures et par Jésus-Christ.

## Dieu parle dans la nature

J'ai eu le bonheur d'assister à la naissance de mon benjamin. Trois de mes gendres et mon aîné étaient également présents à la naissance de leurs propres enfants. Nous avons tous eu le sentiment d'être témoins d'un miracle. Comme l'un des médecins l'a si bien dit: «Qui pourrait nier l'existence de Dieu après avoir été témoin d'une naissance?»

En son propre langage, la nature témoigne de l'existence de Dieu, que ce soit par le cri d'un nouveau-né ou par le chant de l'alouette. C'est le langage de l'ordre, de la beauté, de la perfection et de l'intelligence. La délicatesse de la fleur est l'œuvre de Dieu; l'instinct de l'oiseau fait partie de son plan. Dieu parle dans la régularité des saisons; dans le mouvement du soleil, de la lune et des étoiles; dans le parfait équilibre de la composition de l'air qui nous permet de respirer. «Les cieux racontent la gloire de Dieu, et l'œuvre de ses mains, le firmament l'annonce; le jour au jour en publie le récit et la nuit à la nuit transmet la connaissance.» (Psaumes 19,1-2)

L'ampleur même de l'univers a toujours été incompréhensible pour l'homme; mais, avec les explorations récentes qui ont mené l'homme dans l'espace, notre esprit est encore plus ahuri qu'avant. Le savant qui ne croit pas en Dieu doit être tout à fait déconcerté de constater que l'homme est si petit sur la Terre, elle-même une petite planète dans une centaine de milliards de galaxies, chacune composée d'une centaine de milliards d'étoiles et de planètes!

En même temps que notre génération scrutait l'espace dans ses télescopes, elle a découvert un autre univers dans ses microscopes. Le microscope électronique et la biochimie ont permis aux chercheurs d'examiner des cellules grossies jusqu'à 200 000 fois. Une seule goutte d'eau renferme un nombre si grand de molécules que si on pouvait les transformer en grains de sable, on pourrait paver une route reliant la côte est à la côte ouest de l'Amérique du Nord!

L'apôtre Paul a écrit: «Ce qu'il a d'invisible depuis la création du monde se laisse voir à l'intelligence à travers ses œuvres, son éternelle puissance et sa divinité.» (Romains 1,20)

Dieu dit que l'on peut apprendre beaucoup de choses sur Lui rien qu'en observant la nature. Puisqu'Il s'est révélé par la nature, les hommes et les femmes incrédules sont sans excuse. C'est pourquoi David a écrit: «L'insensé a dit en son cœur: "Non, plus de Dieu!"» (Psaumes 14,1)

Dieu parle dans la nature, mais il ne nous est pas possible de Le connaître rien qu'en nous asseyant sous un arbre et en fixant les yeux sur le firmament. Il se révèle à nous d'une autre façon, par la voix de la conscience.

## Dieu parle dans notre conscience

Qu'est-ce que la conscience? Le dictionnaire nous dit que c'est la faculté de porter des jugements sur nos actes, le sens du bien et du mal.

On conseille souvent de laisser parler sa conscience, mais ce n'est pas toujours suffisant. Dieu se révèle dans notre conscience. Souvent, elle est comme un maître bienveillant, qui nous oriente dans la bonne direction, un peu comme le placier du cinéma nous amène à notre fauteuil. D'autres fois, elle est notre pire ennemi, nous torturant jour et nuit, dans un trouble angoissant. Paul décrit ainsi le fonctionnement de la conscience: «Quand des païens privés de la Loi accomplissent naturellement les prescriptions de la Loi, ces hommes, sans posséder la Loi, se tiennent à eux-mêmes lieu de Loi; ils montrent la réalité de cette Loi inscrite en leur cœur, à preuve le témoignage de leur conscience, ainsi que les jugements intérieurs de blâme ou d'éloge qu'ils portent les uns sur les autres.» (Romains 2,14-15)

«La lampe de Yahvé, c'est l'esprit de l'homme qui pénètre jusqu'au tréfonds de son être.» (Proverbes 20,27)

Quand nous comprenons que Dieu braque un projecteur puissant dans les recoins les plus secrets de notre esprit, éclairant non seulement nos actions mais leurs motifs, il devient évident que Dieu parle véritablement par l'intermédiaire de notre conscience.

Même ceux qui ne sont pas chrétiens se rendent compte de l'existence en eux d'une force qui les guide. Thomas Jefferson a écrit il y a deux siècles: «Le sens moral, ou conscience, fait autant partie de l'homme que la jambe ou le pied. Il est donné à tous les êtres humains à divers degrés, comme la force des membres leur est aussi donnée à divers degrés.»

Certaines personnes, même éloignées de Dieu, possèdent un sens moral plus fort que d'autres. Mais l'homme dont la conscience est desséchée ou morte ressemble à un avion sans pilote ou à un navire sans gouvernail. Il ne sait pas où il s'en va, il est sur le chemin de la collision avec les circonstances. À cause du péché, la conscience peut se dessécher, voire mourir.

## Dieu parle dans les Écritures

La Bible est le livre de la révélation. Dans la grande école de Dieu, on se sert de trois manuels: la nature, la conscience et les Écritures. Les lois que Dieu a révélées dans la nature n'ont jamais changé. Dans le manuel de la révélation — la Bible —, Dieu a parlé avec des mots. La Bible est le seul livre qui révèle le Créateur à la créature qu'Il a créée! Aucun autre livre conçu par l'homme ne peut en dire autant et le prouver par des faits.

La Bible est unique, de par ce qu'elle prétend et enseigne, mais aussi de par sa survie. De nos jours, nombreux sont ceux qui lisent des livres qui sont censés leur donner la réponse aux grandes questions de la vie et de la mort; beaucoup de ces ouvrages sont le produit de religions orientales ou de la philosophie humaniste. Josh McDowell, dans *Evidence That Demands a Verdict*, cite un ancien professeur de sanskrit qui a consacré quarante-deux ans à l'étude des livres orientaux et qui dit ceci quand il les compare avec la Bible: «Empilez-les, si vous le voulez, du côté gauche de votre table de travail, mais placez la Bible du côté droit — toute seule — et en ayant soin de laisser un grand espace entre les deux. Car [...] il y a un gouffre incommensurable entre la Bible et les prétendus livres sacrés de l'Orient, un gouffre qui les sépare décisivement, définitivement [...], un gouffre que ne peut remplir aucune science religieuse[1].»

Les sceptiques ont attaqué la Bible et ont dû battre en retraite dans la confusion. Les agnostiques se sont moqués de ses enseignements, mais n'ont pas pu en élaborer une réfutation intellectuellement honnête. Les athées en ont nié la validité, mais ont dû en reconnaître la justesse historique et les preuves archéologiques.

Dans un magazine respecté, j'ai lu qu'un certain chef d'État avait fait des commentaires sur les tendances de l'économie. Il n'y a là rien de très surprenant. Vous et moi lisons chaque jour des affirmations émises par celui-ci ou celle-là. Si nous en entendons parler dans différents médias, nous avons tendance à croire qu'elles sont vraies et à les répéter aux autres.

Si nous lisions dans un livre que, dans des centaines de situations différentes, la reine d'Angleterre, par exemple, a parlé, nous croirions qu'elle faisait en fait des déclarations. Cela ne fait aucun doute.

Les auteurs de la Bible ont parlé de bien des façons pour dire que Dieu leur avait transmis le fond de ce qu'ils écrivent. Rien que dans l'Ancien Testament, il est dit 3000 fois que Dieu a parlé! Dans les cinq premiers livres de la Bible, nous trouvons des phrases comme celles-ci:

> «Yahvé dit à Noé»
> «Dieu dit»
> «Yahvé parla à Moïse»
> «Yahvé me dit»
> «C'est ce que Yahvé ordonne aux Israélites»
> «Les paroles de Dieu»
> «Yahvé Dieu appela l'homme: "Où es-tu?" dit-il»

Dieu a-t-Il parlé à ces hommes pour les inspirer? S'Il ne l'a pas fait, ils sont bien les menteurs les plus consommés et les plus persévérants que le monde ait connus — ou alors ils étaient des malades mentaux! Comment des hommes de régions différentes, dont beaucoup ne se connaissaient pas les uns les autres, auraient-ils pu raconter plus de 3000 mensonges sur le même sujet? S'ils se sont trompés sur ce sujet, pourquoi devrions-nous croire leurs autres témoignages? Si nous ne pouvons croire que Dieu a parlé aux hommes dans la Bible, alors nous ne pouvons pas croire que les prophéties de ces grands hommes se sont réalisées — et pourtant, elles se sont réalisées!

Si quelqu'un vous ment deux ou trois fois, vous commencez à vous méfier de lui. Vous trouvez difficile, voire impossible, de le croire, quoi qu'il vous dise. Cependant, il nous faudrait nier tout ce que contient la Bible si nous pensions que ses auteurs mentaient quand ils disaient que Dieu a parlé.

Jésus citait fréquemment l'Ancien Testament. Il le connaissait bien et n'a jamais douté des Écritures. Il a dit: «L'Écriture ne peut être récusée.» (Jean 10,35)

Les apôtres ont eux aussi cité l'Ancien Testament à de nombreuses reprises. Paul a dit: «Toute Écriture est inspirée de Dieu.» (2 Timothée 3,16) Pierre a dit: «Ce n'est pas d'une volonté humaine qu'est jamais venue une prophétie, c'est poussés par l'Esprit Saint que des hommes ont parlé de la part de Dieu.» (2 Pierre 1,21)

Nombreux sont ceux qui se font une idée de la Bible à partir d'information de seconde main. Toute une série de films bibliques à grand déploiement, des reprises à la télévision, l'ouï-dire et des cours de religion comparative leur donnent la vision qu'a l'homme de l'Écriture. Au secondaire et au collège, les étudiants prennent des cours de littérature biblique. Souvent, ces cours servent à miner la foi des jeunes, sauf quand l'enseignant comprend la Bible et croit fermement en Dieu. Je connais des jeunes qui ont étudié des sujets comme «Mythes et contradictions dans la Bible».

L'information de seconde main ne fait pas l'affaire.

Un verset ou un récit tiré de la Bible peut toucher quelqu'un d'une manière impossible à imaginer pour quelqu'un d'autre. C'est une source d'information de première main, trouvée chez un marchand de livres d'occasion, qui a changé la vie de toute une famille.

Ma femme avait une faiblesse pour les livres — surtout les livres religieux anciens et épuisés. À une certaine époque, Foyles de Londres avait un vaste rayon de livres religieux d'occasion. Un jour, durant la Campagne de 1954 à Londres, elle bouquinait dans ce rayon, quand un commis, fort agité, est apparu comme par hasard et lui a demandé si elle était Madame Graham. Elle lui a répondu oui. Il a alors commencé à lui faire le récit d'une vie de confusion, de désespoir et de frustrations. Son ménage était sur le point d'éclater et sa vie professionnelle allait de plus en plus mal. Il avait exploré toutes les sources d'aide et, comme ultime tentative, il avait décidé d'assister au service qui aurait lieu ce soir-là à Harringay. Ruth l'a rassuré: elle prierait pour lui. Cela se passait en 1954.

En 1955, nous sommes retournés à Londres. Une fois encore, ma femme s'est rendue chez Foyles, au rayon des livres d'occasion. Cette fois-là, le commis est apparu le visage illuminé par un sourire. Après lui avoir dit à quel point il était heureux de la revoir, il lui a expliqué qu'il avait assisté au service de Harringay l'année précédente, qu'il avait trouvé le Sauveur et que les problèmes de sa vie s'étaient tous réglés.

Il a ensuite demandé à Ruth si elle aimerait savoir quel verset de la Bible lui avait «parlé». Elle a dit oui. Le commis est allé derrière les rangées, pour en revenir avec une vieille Bible tout usée. Il l'a ouverte au Psaume 102, que j'avais lu à Harringay. Il a montré le sixième verset: «Je ressemble au pélican du désert, je suis pareil à la hulotte des ruines [...]» Ce verset lui avait si parfaitement décrit sa propre condition qu'il s'était rendu compte pour la première fois à quel point Dieu nous comprend et nous aime. Et il était résolument converti au Seigneur Jésus-Christ, comme allait l'être plus tard toute sa famille.

Ma femme se trouvait à Londres, en 1972, à l'occasion d'une réunion à Harringay. À la fin de la cérémonie, un homme est venu lui parler. Il n'a pas eu besoin de se présenter, elle avait reconnu le commis de chez Foyles. Rayonnant de bonheur, il lui a présenté sa famille chrétienne et lui a expliqué comment lui et toute sa famille appartenaient désormais au Seigneur — tout cela parce que Dieu lui avait parlé quand il était encore «pareil à la hulotte des ruines».

Faites usage de cet outil de communication — la Bible — au moyen duquel Dieu nous parle. Lisez-la, étudiez-la, mémorisez-la. Elle transformera toute votre vie. Elle ne ressemble à aucun autre livre. C'est un livre «vivant» qui pénètre votre cœur, votre esprit et votre âme.

## Révélation dans les lieux de ténèbres

Dans les endroits où la Bible est facilement accessible, il arrive souvent qu'elle s'empoussière sur une tablette. Mais dans les pays où elle est considérée comme un ouvrage subversif, Dieu se révèle de manières inhabituelles.

Il y a longtemps, un célèbre violoniste avait été invité par Chou En-Lai pour enseigner dans l'une des célèbres universités de la République populaire de Chine. On l'avait assuré qu'il pourrait quitter le pays s'il le désirait. Après sept ans, le violoniste avait perdu toutes ses illusions.

Quand il s'est rendu au bureau des visas pour obtenir les documents lui permettant de quitter le pays, il a essuyé un refus. Cependant, il y est retourné chaque jour, jusqu'au jour où quelqu'un a glissé un bout de papier dans sa poche. Rentré chez lui, il s'est rendu compte que c'était une page déchirée de la Bible. Il l'a lue avec intérêt, découvrant qu'elle parlait à son cœur d'une façon étrange. À l'occasion d'une autre visite au bureau des visas, un homme s'est approché de lui et lui a demandé s'il aimerait lire une autre page de la Bible. Le violoniste a répondu oui.

Chaque fois qu'il retournait au bureau des visas, il recevait une nouvelle page de la Bible. C'est dans la République populaire de Chine que s'est effectuée sa conversion à Jésus-Christ. Son visa de sortie lui a finalement été délivré et il s'est rendu à Hong Kong. Maintenant, il enseigne dans un autre pays.

Quand Corrie ten Boom était prisonnière à Ravensbruck, c'est grâce à son étude et à son enseignement de la Parole de Dieu qu'elle a pu garder l'esprit clair; ainsi, quand elle a été libérée, elle était mentalement alerte. De nombreux prisonniers n'étaient pas beaucoup plus que des légumes à leur libération et ont dû être soignés jusqu'à ce qu'ils retrouvent une certaine forme d'équilibre.

Une histoire analogue m'a été racontée par une missionnaire en Chine qui avait été faite prisonnière par les Japonais. Au camp de concentration où elle se trouvait, le seul fait de posséder une partie des Écritures était punissable de mort. Cependant, on avait réussi à lui apporter, caché dans un manteau d'hiver, un petit Évangile de Jean. La nuit, elle tirait le drap au-dessus de sa tête et, avec sa lampe de poche, en lisait un verset. Elle s'endormait en le mémorisant. Ainsi, avec le temps, elle a appris par cœur tout l'Évangile de Jean.

Quand elle allait se laver les mains, elle détruisait une page à la fois, en la mouillant d'eau et de savon, et en la jetant dans l'égout. «C'est ainsi, raconte-t-elle, que Jean et moi nous nous sommes séparés.»

Cette petite missionnaire a été interviewée par un reporter du *Time* juste avant la libération des prisonniers. Celui-ci se trouvait par hasard aux barrières du camp quand les prisonniers ont été relâchés. La plupart marchaient en rangs, le regard fixé au sol, comme des automates. Puis, la missionnaire est sortie, aussi fraîche que la rosée. On a entendu un reporter penser à voix haute: «Je me demande s'ils ont réussi à lui laver le cerveau.»

Le reporter du *Time*, ayant entendu la remarque, a dit: «C'est Dieu qui lui a lavé le cerveau!»

La Parole de Dieu cachée dans le cœur d'un être est comme une voix têtue, impossible à faire taire. Ruth a connu à Londres une autre expérience qui le prouve bien. En 1966, durant les réunions à Earls Court, elle a rencontré une jeune beatnik du East End. Chaque soir, à notre arrivée, cette petite rebelle pleine d'entrain et tout à fait aimable attendait Ruth. Durant la Campagne d'Earls Court, elle s'asseyait souvent auprès de Ruth ou l'accompagnait à son siège. Elles ont alors amorcé une amitié inhabituelle, mais durable.

Ruth a appris que la jeune fille, avant de se convertir, faisait usage de drogues. Ruth lui a demandé d'apprendre par cœur certains versets dont elle jugeait qu'ils seraient importants pour elle, comme Jean 3,16 et 1 Jean 1,8, ainsi que les deux derniers versets de l'Épître de saint Jude. Un soir, Ruth l'a même mise en garde: à cause de son passé, quand elle rencontrerait un écueil dans la vie, elle aurait le choix entre s'évader de nouveau dans les drogues ou continuer d'avancer avec le Seigneur Jésus-Christ.

Un soir, durant le rassemblement, le placier a remis un message à ma femme: «Je suis droguée; j'ai besoin de vous. Je vous supplie de venir à mon secours.» La note était signée par sa jeune amie.

Ruth a quitté le rassemblement et a trouvé la jeune fille qui l'attendait à la porte, pâle, les yeux vides, de toute évidence sous l'effet de drogues. Ruth, n'ayant que peu d'expérience auprès des drogués, pensait qu'il fallait les traiter comme on traite quelqu'un qui a trop bu. Elle l'a donc emmenée prendre un café tout près de là. Elle ne se rendait pas compte que c'était la dernière chose à faire. Sur le chemin du café, elle a demandé à la jeune fille pourquoi elle s'était droguée. Réponse: «Ma meilleure amie est morte d'une surdose aujourd'hui.»

Ruth voulait écouter le sermon; elles se sont donc assises sur une marche, d'où elles pouvaient entendre, mais la jeune fille n'était pas en état d'écouter. Ruth, comprenant que celle-ci était sur le point de perdre conscience, a écrit sur le petit carton d'un paquet de kleenex quelque chose comme: «Dieu m'aime. Jésus est mort pour moi. Quoi que j'aie pu faire, Il me pardonnera si je me repens et Lui demande son pardon.»

L'année suivante, en 1967, nous étions de retour à Earls Court pour une autre série de rassemblements. Un soir que Ruth et la jeune beatnik prenaient le thé, cette dernière a fouillé dans son sac, en a sorti le carton sur lequel Ruth avait écrit un message l'année précédente, et lui a demandé si c'était elle qui l'avait écrit. Ruth lui a raconté ce qui s'était passé ce soir-là, mais la jeune fille ne se souvenait plus de rien. La jeune fille a alors répété les versets que Ruth lui avait demandé d'apprendre et lui a demandé à quel moment elle les avait appris. Ruth le lui a expliqué, mais la jeune fille avait tout oublié. Il est intéressant de noter que les drogues peuvent causer une certaine amnésie, mais elles n'avaient pas effacé la Parole de Dieu qui s'était gravée dans son cœur.

Une situation analogue s'est produite quand Ruth est tombée d'un arbre pendant qu'elle essayait de construire une glissoire pour nos petits-enfants. Elle a subi une forte commotion et est restée quasiment inconsciente pendant presque une semaine. Quand elle est revenue à elle, ce qui l'a le plus inquiétée, c'était qu'elle se souvenait de peu de choses. Ce qu'elle avait perdu de plus précieux, c'étaient les versets de la Bible qu'elle avait mémorisés au fil des ans.

Dans son journal, elle a écrit comment, un soir qu'elle priait pour que ses souvenirs lui reviennent, ces mots ont surgi de nulle part: «D'un amour éternel je t'ai aimée, aussi t'ai-je maintenu ma faveur.» (Jérémie 31,3) Elle ne se rappelait plus où ni quand elle avait appris ce verset, car son esprit était encore embrouillé. Pourtant, il était remonté en elle.

## Dieu parle par Jésus-Christ

Dieu parle le plus clairement par l'intermédiaire de son Fils Jésus-Christ. «Dieu, en ces jours qui sont les derniers, nous a parlé par le Fils.» (Hébreux 1,1-2)

Depuis la nuit des temps, nombreux sont ceux qui ont cru que Dieu était un esprit vivant dans l'âme de chacun. Tolstoï, le grand écrivain russe, a dit: «Chaque homme reconnaît en lui-même un esprit libre et rationnel, indépendant de son corps. Cet esprit est ce que nous appelons Dieu.»

Les philosophes ont vu Dieu un peu partout. Au premier siècle de notre ère, Sénèque, le philosophe romain, a influencé la croyance pour les siècles à venir quand il a écrit: «Appelez cela nature, destin ou chance: ce ne sont que les noms d'un seul et même Dieu.»

Bien entendu, Sénèque était dans l'erreur. De même que l'ont été des millions d'hommes au fil des siècles.

La plupart des religions du monde font allusion à un moment où Dieu viendrait sur terre. Beaucoup d'hommes ont prétendu être Dieu. À notre époque, un Coréen a attiré beaucoup de disciples en prétendant qu'il était le «Seigneur du Second Avènement».

Cependant, c'est quand est venue la «plénitude du temps», quand toutes les conditions ont été remplies, quand toutes les prophéties ont été réalisées que «Dieu envoya son Fils, né d'une femme». (Galates 4,4)

Dans une petite ville du Moyen-Orient, il y a presque deux mille ans, la prophétie de Michée 5,2 a été réalisée quand Dieu «a été manifesté dans la chair» (1 Timothée 3,16) Cette révélation s'est faite en la personne de Jésus-Christ.

L'Écriture dit du Christ: «Car en lui habite corporellement toute la Plénitude de la Divinité.» (Colossiens 2,9)

C'est la révélation la plus complète que Dieu ait donnée au monde. Si vous voulez savoir comment est Dieu, il vous suffit de regarder Jésus-Christ.

La nature est empreinte de perfection et de beauté; nous voyons ordre, puissance et majesté dans le monde matériel qui nous entoure. Cette description s'applique aussi à Jésus-Christ. Dans l'œuvre de notre conscience et dans la magnificence de l'Écriture, nous trouvons justice, miséricorde, grâce et amour. Ce sont là des qualités de Jésus-Christ. «Et le Verbe s'est fait chair, et il a habité parmi nous.» (Jean 1,14)

À ses disciples et à nous tous qui vivons au XXe siècle, Jésus a dit: «Vous croyez en Dieu, croyez aussi en moi.» (Jean 14,1) Cet enchaînement de foi est inévitable. Si nous croyons en ce que Dieu a fait et dit, nous croirons en Celui qu'Il nous a envoyé.

Comment croire? C'est la foi qui nous permettra de comprendre le salut. Il ne nous est pas toujours demandé de comprendre tout, mais il nous est demandé de croire. «Ceux-là ont été mis par écrit, pour que vous croyiez que Jésus est le Christ, le Fils de Dieu, et pour qu'en croyant vous ayez la vie en son nom.» (Jean 20,31)

Tout besoin de connaître Dieu, tout espoir de vie éternelle, tout désir d'un ordre social nouveau — tout cela doit reposer sur Celui qui peut les satisfaire: Jésus-Christ. En venant à Jésus-Christ, l'inconnu devient connu; nous connaissons Dieu Lui-même.

Quand la lumière de la présence éternelle de Dieu éclaire notre vie de ténèbres, nous découvrons un autre monde au-delà de la frustration et de la confusion du nôtre.

Au parc d'attractions, une enfant encore trop jeune pour aller à l'école est entrée dans un labyrinthe de miroirs. Quand son père a constaté qu'elle n'était plus à ses côtés, il l'a vue en train de chercher son chemin, terrifiée, les larmes aux yeux. De tous les chemins qui s'ouvraient devant elle, elle ne savait plus lequel suivre, jusqu'à ce qu'elle entende son père l'appeler: «Ne pleure pas, ma chérie. Tends les mains et tâte autour de toi. Tu trouveras la porte. Suis ma voix.»

En l'entendant, la fillette s'est calmée et a trouvé la porte de sortie. Elle s'est alors élancée dans les bras ouverts de son papa.

Dieu S'est révélé à la race humaine habitant cette petite planète, dans la nature, dans la conscience, dans la Bible — et plus parfaitement encore en la personne de Jésus-Christ.

# ◆ CHAPITRE 4 ◆

# Mais je ne suis pas religieux!

On entend souvent poser cette question: «Que dire de toutes les autres religions du monde? L'une ne vaut-elle pas l'autre?»

Peu de termes dans le langage humain ont été plus dénaturés et plus mal compris que celui de «religion». Au XVIIIᵉ siècle, le philosophe allemand Emmanuel Kant a défini la religion comme une «moralité ou action morale». Hegel, le philosophe qui a influencé la pensée d'Hitler, l'a définie comme une «sorte de connaissance».

Quand les gens parlent de «religion», ils ne parlent pas toujours de la même chose: symbolisme sadique des «filles» de Manson qui se gravaient au couteau un X sur le front; rituels de la Méditation transcendantale ou chants de divers cultes; méditation sereine dans l'atmosphère paisible d'une église.

Nombreux sont ceux qui disent avec une certaine fierté qu'ils ne sont pas religieux. Mais, malgré ses réticences, l'homme est un être religieux. La Bible, l'anthropologie, la sociologie et d'autres sciences encore nous enseignent que l'être humain désire ardemment vivre une expérience religieuse.

À l'université, j'ai étudié l'anthropologie comme matière principale. D'après le dictionnaire, l'anthropologie, c'est l'étude des croyances et institutions, des coutumes et des traditions des différentes sociétés humaines. J'ai également eu la chance de beaucoup voyager, sur tous les continents. Mon expérience personnelle confirme ce que j'ai appris en anthropologie: l'homme a naturellement et universellement la capacité d'avoir une religion — non seulement la capacité, car la vaste majorité des êtres humains pratiquent ou professent une forme quelconque de religion.

La religion a deux pôles magnétiques, le pôle biblique et le pôle naturaliste. Le pôle biblique est décrit dans les enseignements de la Bible, tandis que le pôle naturaliste est expliqué dans toutes les religions créées par l'homme. Dans les systèmes de croyances humanistes se trouvent toujours certains éléments de vérité. Beaucoup de ces fois ont emprunté des éléments au judéo-christianisme auxquels elles incorporent leurs propres fables. D'autres fois ou religions ont en fragments ce que le christianisme a dans son entièreté.

L'apôtre Paul faisait allusion au pôle naturaliste quand il a écrit au sujet des hommes: «Ils ont changé la gloire du Dieu incorruptible contre une représentation, simple image d'hommes corruptibles, d'oiseaux, de quadrupèdes, de reptiles.» (Romains 1,23)

Toutes les fausses religions amputent certaines parties de la révélation divine, y ajoutent leurs propres idées et arrivent à des points de vue qui diffèrent de la révélation divine contenue dans la Bible. La religion naturaliste ne vient pas de Dieu mais du monde naturel qu'Il a créé et qui s'éloigne de Lui par orgueil.

Une fausse religion, c'est comme une mauvaise imitation de la haute couture. J'ai lu quelque part qu'après un défilé de mode dans les grands centres de la haute couture, comme Paris, les imitations ne tardaient pas à faire surface dans les grands magasins, mais sous une autre griffe. L'existence même des contrefaçons prouve l'existence de l'authentique. Les imitations ne sauraient exister sans modèle original.

Le dessein original de Dieu a toujours suscité imitations et contrefaçons.

## Naissance de la religion

Comment sont nées toutes les religions du monde? Un célèbre conquérant du passé a pu affirmer une vérité, sans se rendre compte qu'il passait à côté de la «vraie» Vérité. Napoléon Bonaparte a dit: «Je croirais à la religion si elle avait existé de tout temps. Mais quand je pense à Socrate, à Platon et à Mahomet, je n'y crois plus. Toutes les religions ont été créées par l'homme.»

Paul Bunyan a dit un jour: «La religion constitue la meilleure armure de l'homme, mais son voile le moins adéquat.»

Quand l'homme a-t-il inventé ce dédale de religions? Tout a commencé avec deux personnages bien connus. Quand Adam et Ève ont eu leurs fils, on aurait pu croire qu'ils auraient été capables de leur inculquer l'importance d'entretenir une bonne relation avec Dieu. Cependant, Caïn ne voulait en faire qu'à sa tête. Il s'est approché du premier autel pour y placer le «fruit de la terre», essayant de gagner de nouveau le «paradis» sans accepter le projet de rédemption de Dieu. Caïn a offert ce qu'il avait fait pousser, les éléments distinctifs de sa propre culture. Aujourd'hui, nous dirions qu'il essayait de gagner son salut par son travail. Mais Dieu n'a jamais dit que nous pouvions être sauvés par notre travail.

Son frère, Abel, a obéi à Dieu dans l'humilité, en offrant les premiers-nés de son troupeau, dans un sacrifice sanglant. Abel était d'avis, comme Dieu, que le péché mérite la mort et ne peut être lavé devant Dieu que par la mort substitutive d'un innocent. Caïn rejetait délibérément ce plan-là. Dieu exigeait un sacrifice dans le sang.

Les auteurs de la Bible savaient que le sang est essentiel à la vie. L'homme ou l'animal peut vivre sans un membre ou sans un œil, mais il ne peut vivre sans son sang. C'est pourquoi on lit dans l'Ancien Testament: «La vie de la chair est dans le sang.» (Lévitique 17,11)

Ainsi, la Bible nous enseigne que l'expiation du péché n'est possible que par l'effusion du sang. «D'ailleurs, selon la Loi, presque tout est purifié par le sang, et sans effusion de sang il n'y a point de rémission.» (Hébreux 9,22)

Quand nous parlons du sang du Christ, nous disons qu'Il est mort pour nous. Le sacrifice du sang rend compte de la gravité du péché. Le péché était une question de vie ou de mort. La mort du Christ a aussi illustré le principe de la substitution. Dans l'Ancien Testament, l'animal sacrifié était considéré comme un substitut: l'animal innocent prenait la place du pécheur. De la même façon, le Christ est mort à notre place. Il était innocent, mais il s'est sacrifié dans son sang, pour nous. Nous méritions de mourir pour expier nos péchés, mais Il est mort à notre place.

Grâce à la mort du Christ, nous pouvons connaître Sa vie — maintenant et pour toujours. «Sachez que ce n'est par rien de corruptible [...] que vous avez été affranchis [...] mais par un sang précieux [celui] du Christ.» (1 Pierre 1,18-19)

Quand Caïn a choisi d'agir à sa façon, et non par le sang comme Dieu le voulait, son cœur s'est rempli d'amertume. Il s'est mis à détester son frère Abel. Tout comme le vrai croyant chrétien se fait souvent rejeter par les adeptes des religions créées par l'homme, Caïn n'acceptait pas Abel, et sa haine a couvé jusqu'à ce qu'il le tue.

L'orgueil, l'envie et la haine habitent le cœur humain, dans toutes les cultures et à toutes les époques. Il y a longtemps, quand j'étais étudiant en Floride, un jeune homme a tué son frère aîné dans un accès de jalousie. Leurs parents avaient péri dans un accident de voiture. Le testament indiquait que l'aîné hériterait des deux tiers de l'orangeraie, et le cadet, du tiers. L'humeur du cadet est devenue maussade. Déprimé, il en voulait à ses parents décédés et enviait intensément son frère aîné. Puis, le frère aîné a disparu. Six semaines plus tard, on retrouvait son cadavre attaché au tronc d'un cyprès, dans une rivière.

Les temps n'ont pas changé. Des millions d'êtres humains veulent leur salut, mais à leurs propres conditions. Ils souhaitent tracer leur propre destin et imaginer toutes sortes de chemins menant à Dieu.

Même si le christianisme est vrai, il n'est pas une religion. La religion, c'est l'effort de l'homme pour rejoindre Dieu. Le dictionnaire définit la religion comme étant la croyance en un ou plusieurs dieux, ou l'adoration d'un ou de plusieurs dieux. La religion peut être n'importe quoi! Mais le vrai christianisme, c'est Dieu qui communique avec l'homme dans une relation personnelle.

L'intérêt que manifeste notre époque pour l'occulte et pour les religions orientales est révélateur de la recherche éternelle que mène l'homme pour trouver Dieu. Nous ne pouvons échapper à la réalité: l'homme est instinctivement religieux, mais Dieu a choisi de se révéler à lui par la nature, par la conscience, par les Écritures et par son Fils Jésus-Christ. Les Écritures disent que l'homme n'a aucune excuse pour ne pas connaître Dieu!

## Au nom de la «religion»

Il n'est pas surprenant que les gens déclarent, satisfaits d'eux-mêmes, qu'ils ne sont pas religieux. Toutes sortes de cruautés et d'injustices ont été commises au nom de la religion.

En Chine, quand ma femme était enfant, on jetait souvent aux chiens sauvages les corps des bébés morts avant d'avoir percé leurs dents. Les gens craignaient que si les esprits maléfiques pensaient qu'ils tenaient trop à leurs enfants, ils viendraient leur en prendre un autre. Ils essayaient de prouver leur indifférence de cette façon grossière. Aux yeux de Ruth, la «religion» semblait macabre et sans joie, et souvent cruelle.

En Inde, j'ai vu un homme étendu sur un lit de clous. Il était couché depuis des jours, jeûnant et buvant très peu d'eau. C'était sa façon à lui d'expier ses péchés. Une autre fois, en Afrique, j'ai vu un homme marcher sur des charbons ardents. Soi-disant que, s'il ne se brûlait pas les pieds, cela signifiait que Dieu l'acceptait; s'il se brûlait, il était considéré comme un pécheur trop peu repentant.

En Inde encore, une missionnaire qui passait près des rives du Gange a vu une mère assise près du fleuve avec deux enfants. Elle tenait sur ses genoux un beau bébé, tandis qu'une fillette d'environ trois ans, gravement handicapée, gémissait près d'elle. Quand, le soir, la missionnaire est passée de nouveau à cet endroit, elle a vu la jeune mère toujours assise sur la rive, mais le bébé n'était plus là, et elle essayait de réconforter sa petite fille. Horrifiée par les soupçons qui l'assaillaient, la missionnaire, après avoir hésité un court instant, s'est approchée de la mère et lui a demandé ce qui s'était passé. Les larmes aux yeux, la mère éplorée lui a répondu: «Je ne connais pas le dieu de votre pays, mais ici, mon dieu n'accepte que le meilleur.» Elle avait donné son bébé parfait au dieu du Gange.

De tout temps, l'homme a fait des sacrifices humains au nom de la religion. Il a adoré toutes sortes d'idoles — des singes de laiton jusqu'à des arbres. Dans certaines îles du Pacifique, par exemple, des hommes croient que l'âme de leurs ancêtres habite dans certains arbres. Ils présentent des offrandes à l'arbre et croient que, si celui-ci est endommagé d'une façon ou d'une autre, le malheur frappera leur village. Si l'arbre était abattu, le village serait détruit et tous ses habitants périraient inévitablement.

Au nom de la religion, des rois, des empereurs et des chefs d'État ou de tribus ont été adorés comme des dieux. Un érudit anglais a écrit: «Dans les sociétés anciennes, on croyait souvent que le roi ou le prêtre était investi de pouvoirs surnaturels ou qu'il était l'incarnation d'une divinité; [...] on le tenait pour responsable du mauvais temps, des maigres récoltes et d'autres calamités du genre[1].»

Le mikado, empereur spirituel des Japonais, est un bon exemple de monarque adoré en tant que divinité. Dans un décret officiel, il a reçu le titre de «divinité incarnée». Un récit ancien dit du mikado: «Le fait même que ses pieds touchent le sol était considéré comme une dégradation honteuse. [...] Rien de son corps ne lui était enlevé; ni ses cheveux, ni sa barbe, ni ses ongles n'étaient coupés[2].»

Nombreux sont ceux qui font fi de la «religion» et qui sont d'accord avec le professeur de philosophie d'une prestigieuse université américaine qui a écrit: «Le terme "religion" est entré en usage pour désigner tout à la fois le judaïsme, le christianisme, l'islam, le bouddhisme, l'hindouisme, le taoïsme et le confucianisme, en plus de beaucoup d'autres fois sœurs, dont certaines portent un nom propre et d'autres pas, mais qui toutes sont jugées assez semblables aux sept religions précitées pour qu'on les considère toutes en bloc[3].»

Peut-on vraiment mettre le christianisme dans la même catégorie que toutes les autres «religions» du monde?

## Inexcusable

Dès le commencement du monde, la religion «naturelle» est apparue pour se substituer au plan de Dieu. L'apôtre Paul décrit ce phénomène dans son épître aux Romains, faisant référence aux représentations d'oiseaux, d'animaux et de serpents pour illustrer la religion créée par l'homme. Mais cela ne décrit pas toutes les formes que prend la religion. Aujourd'hui, il existe beaucoup de nouvelles formes d'expression religieuse, plus sophistiquées qu'avant — surtout dans certaines universités —, mais elles sont toutes des tiges du même plant: la recherche consciente ou inconsciente de Dieu par l'homme.

Paul parle de la corruption par l'homme de la révélation divine: «Ce qu'il y a d'invisible depuis la création du monde se laisse voir à l'intelligence à travers ses œuvres, son éternelle puissance et sa divinité, en sorte qu'ils sont inexcusables; puisque, ayant connu Dieu, ils ne lui ont pas rendu comme à un Dieu gloire ou action de grâces, mais ils ont perdu le sens dans leurs raisonnements et leur cœur inintelligent s'est enténébré: dans leur prétention à la sagesse, ils sont devenus fous [...] ils ont échangé la vérité de Dieu contre le mensonge, adoré et servi la créature de préférence au Créateur, qui est béni éternellement!» (Romains 1,20-25)

Paul dit simplement que tous les hommes, partout, possèdent au moins une connaissance primitive de Dieu. Certains accueillent cette idée avec cynisme, ce qui fait surgir la question inévitable: «Qu'en est-il des païens qui n'ont jamais entendu parler de Jésus?»

Qu'en est-il des païens de Main Street, U.S.A., ou des païens d'Oxford ou de la Sorbonne? Dieu nous a tous créés à Sa propre image; nous devons tous répondre à Dieu de la lumière qu'Il nous a révélée. Comment un Dieu juste peut-Il condamner des gens qui n'ont jamais eu la chance d'entendre l'Évangile? La réponse à cette question nous est donnée au verset 18,25 de la Genèse: «Est-ce que le juge de toute la terre ne rendra pas justice?»

La nature de Dieu témoignera d'une puissance et d'une personne divines à qui chacun devra rendre des comptes. D'autre part, la justice de Dieu se manifestera contre tous ceux qui ne vivront pas en accord avec la lumière qu'Il leur a révélée.

Au cours de ma vie, j'ai entendu parler de bien des cas où des hommes ont reçu une compréhension intuitive de «la puissance éternelle et de la nature divine» de Dieu, sans avoir eu l'avantage de connaître la Bible et sans avoir été évangélisés.

Vers le milieu des années 1950, nous avons organisé une grande Campagne évangélique à Madras, en Inde. Un homme a fait une marche de près de 200 km pour venir se joindre à nous. On m'a dit que cet homme venait d'un petit village jamais encore visité par un missionnaire et où, disait-on, l'évangile du Christ était tout à fait inconnu. Pourtant, il voulait de tout son cœur connaître le Dieu vrai et vivant. Il avait entendu dire qu'un «gourou» américain allait prononcer un sermon, et sa soif de Dieu était si vive, qu'il y a assisté et qu'il a trouvé le Christ. Huit mois plus tard, M$^{gr}$ Newbigin, de l'Église de l'Inde méridionale (qui m'a raconté cette histoire), s'est rendu dans ce village, où il a constaté que la communauté entière avait formé une «Église». Cet homme avait à lui seul mené tous les villageois au Christ.

Durant nos Campagnes dans le nord-est de l'Inde, en 1972, il y avait des gens qui marchaient jusqu'à dix jours, portant sur leurs épaules tous leurs biens, accompagnés de leur famille entière, et arrivant d'endroits comme le Népal, le Sikkim ou la Birmanie. On nous a dit que certains n'avaient jamais même entendu prononcer le nom de Jésus-Christ. Ils savaient tout simplement qu'un rassemblement religieux aurait lieu, et ils voulaient aller voir de quoi il s'agissait. Nombreux sont ceux qui y sont restés pour trouver le Christ.

Je suis convaincu que si l'homme recherche sincèrement Dieu, avec tout son cœur, Dieu se révélera à lui d'une façon ou d'une autre. Dieu rejoindra ceux qui Le cherche par l'intermédiaire d'un homme, de la Bible ou d'une quelconque expérience vécue avec des croyants.

Un maître célèbre de la Bible, le docteur Donald Barnhouse, m'a parlé du voyage qu'il avait fait sur un fleuve au cœur de l'Afrique. Quand il a pris place dans l'embarcation, il y a vu un poulet, qu'il a cru destiné à son prochain repas. Deux ou trois heures plus tard, il a entendu un terrible grondement au loin. Il a compris que l'embarcation approchait d'eaux turbulentes. Les indigènes qui ramaient ont alors accosté. Ils sont descendus à terre et ont apporté le poulet dans les bois. Ils y ont élevé un autel de fortune, sur lequel ils ont sacrifié le poulet. Ensuite, ils ont aspergé de sang le devant de l'embarcation. Barnhouse a constaté une fois de plus que, même sans missionnaires et sans la Parole de Dieu, ces gens savaient intuitivement qu'un sacrifice était nécessaire.

Paul dit que Dieu a fait en sorte que tous les êtres humains, partout, possèdent une connaissance élémentaire de Lui-même, de ses attributs, de sa puissance et de sa nature divine. Grâce à ce qu'ils observent et grâce à leur conscience, les hommes peuvent Lui répondre s'ils le souhaitent.

Mais l'humanité s'est détournée de Dieu. L'esprit des hommes n'aimait pas suffisamment la vérité, leur volonté ne souhaitait pas Lui obéir, leurs émotions n'étaient pas stimulées à l'idée de Lui plaire.

Qu'est-il arrivé? Qu'arrive-t-il encore? L'homme supprime la vérité ou y intègre des erreurs, et il crée les religions du monde.

Les religions humanistes sont souvent offensées par la foi dans la Bible, c'est-à-dire la croyance qui accepte la Bible comme source d'autorité en matière de péché et en matière de justification du pécheur par la mort expiatoire du Christ. Les religions naturelles contiennent juste assez de vérité pour être trompeuses. Elles contiendront des éléments de vérité, ou des standards d'éthique élevés. Certains de leurs adeptes emploient quelquefois des termes qui font penser au langage biblique. L'érudit anglais C. S. Lewis a dit que toutes les religions ne sont vraiment qu'un aperçu ou qu'une perversion du christianisme.

La religion de l'homme peut être très attractive. Thomas Paine a écrit: «Le monde est mon pays, tous les êtres humains sont mes frères, et faire le bien est ma religion.» Même si la moralité et la volonté de faire le bien gagnent l'approbation des hommes, elles ne sont pas acceptables par Dieu et elles ne remplissent pas toutes ses exigences morales. En fait, certaines des immoralités les plus grossières de l'histoire de l'humanité ont reçu la sanction des religions naturelles.

Il existe un grand perfide qui s'adapte à toutes les cultures, qui arrive même quelquefois à tromper les vrais croyants. Il ne se présente pas dans une cape rouge, avec des cornes, mais exerce son charme en «ange de lumière». C'est ainsi que Satan se manifeste aujourd'hui. Des milliers d'hommes sont entrés dans les églises sans découvrir l'expérience vitale avec Jésus-Christ. Les substituts prennent la forme de rituels religieux, de bonnes œuvres, d'efforts communautaires ou de réforme sociale — toutes actions louables en soi, mais toutes inaptes à créer la relation nécessaire entre l'homme et Dieu.

Nombreux sont ceux qui disent «Je suppose que je suis un chrétien» ou «J'essaie d'être chrétien». Mais, dans la vie chrétienne, il n'y a pas de suppositions ou de demi-mesures. Même certains des grands esprits de notre époque ne se sont pas attaqués à cette vérité: la simplicité de l'Évangile peut aussi bien rejoindre les déficients mentaux que les génies.

## Tenants du compromis

Partout où la vérité et l'erreur s'entremêlent, il y a compromis. Dans certaines Églises, un mouvement veut refondre le message chrétien pour le rendre plus acceptable à l'homme moderne. Beaucoup pensent que «les Églises chrétiennes ont été et sont encore la source de l'anti-intellectualisme et de l'opposition à la pensée critique[4]».

Dans des livres et dans des sermons, on se moque de la Bible et des croyances fondamentales de la foi chrétienne. Un ouvrage volumineux a été publié sous le titre de *Bible Myths*, et le chapitre intitulé «The Miracles of Christ» commence ainsi: «L'histoire légendaire de Jésus de Nazareth racontée dans le Nouveau Testament abonde en prodiges et en miracles. Ces miracles présumés, et la foi que les gens semblent accorder à un tel tissu de mensonges, sont révélateurs de la tendance innée de ces gens à croire en n'importe quoi, et c'est parmi ces gens que le christianisme s'est propagé[5].»

On a pu lire dans un long article du magazine *Time*: «Les questions sur la véracité de la Bible n'ont rien de nouveau. Elles ont été soulevées depuis sa création[6].»

Un professeur d'archéologie que j'ai connu à Wheaton College faisait aussi des études à l'Université de Chicago. Il arrivait souvent à son professeur de Chicago de soulever certains points afin de mettre en doute la véracité des Écritures. Chaque fois, l'étudiant faisait référence à une découverte archéologique prouvant l'authenticité des Écritures. À un moment donné, le professeur, exaspéré, s'est écrié: «L'ennui avec vous, archéologues évangélistes, c'est que vous déterrez toujours quelque chose qui prouve que nous avons tort et que la Bible a raison!»

Les archéologues n'ont jamais rien découvert qui mette en question la véracité des Écritures.

Les théologiens incrédules n'arrivent pas à s'entendre sur la partie du Nouveau Testament à garder et sur celle à rejeter. Certains semblent d'accord pour dire que les miracles n'étaient que des mythes. Ils considèrent la résurrection comme une expérience subjective des disciples plutôt que comme un événement historique objectif. Ils nient que Jésus ait été un être surnaturel et rejettent toute explication selon laquelle sa perfection était due au fait qu'il était à la fois homme et Dieu.

C. S. Lewis trouvait déconcertants les critiques de la Bible qui choisissaient les événements surnaturels auxquels ils acceptaient de croire. «Il s'étonnait de la théologie sélective des exégètes de la Bible qui, "après avoir avalé tout rond le chameau de la Résurrection, s'étouffent avec des moucherons tels que la multiplication des pains[7]".»

## Les faux prophètes

Entre le compromis et la tromperie, il n'y a qu'un pas. Partout dans la Bible, on nous met en garde contre les faux prophètes et contre les faux docteurs. Jésus a dit: «Méfiez-vous des faux prophètes, qui viennent à vous déguisés en brebis, mais au-dedans sont des loups rapaces […] Ainsi donc, c'est à leurs fruits que vous les reconnaîtrez.» (Matthieu 7,15-20)

Il arrive que la soutane du prédicateur soit son déguisement en brebis. Il peut être libéral ou fondamentaliste. Le libéral, comme les Sadducéens de jadis, nie la vérité biblique. Le fondamentaliste féroce, comme les Pharisiens de jadis, peut accepter une saine théologie mais y ajoute trop de matériel non biblique. Chez certains autres, c'est l'accumulation des diplômes universitaires qui constitue le déguisement. Leur discours semble logique. Il est quelquefois difficile pour le chrétien de démasquer les faux docteurs, parce qu'ils ressemblent, à certains égards, aux vrais. Jésus a parlé des faux prophètes qui «produiront de grands signes et de grands prodiges, au point d'abuser, s'il était possible, même les élus». (Matthieu 24,24)

C'est Satan lui-même qui se cache derrière la Grande Tromperie. Intelligent et astucieux, il travaille d'une manière si subtile et si secrète qu'aucun chrétien ne devrait se vanter d'être à l'abri de ses assauts.

Paul a mis en garde Timothée: «Quant aux pécheurs et aux charlatans, ils feront toujours plus de progrès dans le mal, à la fois trompeurs et trompés.» (2 Timothée 3,13) Il a aussi mis en garde l'Église d'Éphèse: «Que nul ne vous abuse par de vaines raisons.» (Éphésiens 5,6) Une seconde fois: «Ainsi nous ne serons plus des enfants, nous ne nous laisserons plus ballotter et emporter à tout vent de la doctrine, au gré de l'imposture des hommes et de leur astuce à fourvoyer dans l'erreur.» (Éphésiens 4,14)

Une Californienne qui enseigne aujourd'hui la Bible à des centaines d'autres femmes m'a avoué que pendant des années son pseudo-intellectualisme l'avait poussée à s'accrocher à toutes les «idées religieuses» qui lui étaient présentées. Après avoir accepté Jésus-Christ comme son Sauveur et après être spirituellement née de nouveau, elle m'a dit: «Désormais, je ne suis plus une enfant [...] ballottée et emportée à tout vent de la doctrine.»

Nous vivons à une époque où il y aura de plus en plus de faux docteurs. Nous approchons peut-être de la fin d'une ère. L'apôtre Pierre a dit: «Il y a eu de faux prophètes dans le peuple, comme il y aura aussi parmi vous de faux docteurs, qui introduiront des sectes pernicieuses et qui, reniant le Maître qui les a rachetés, attireront sur eux-mêmes une prompte perdition. Beaucoup suivront leurs débauches, et la voie de la vérité sera blasphémée, à cause d'eux. Par cupidité, au moyen de paroles trompeuses, ils trafiqueront de vous, eux dont le jugement depuis longtemps n'est pas inactif et dont la perdition ne sommeille pas.» (2 Pierre 2,1-3)

Quand nous nous rendons compte que leurs apostasies et leurs tromperies sont secrètement introduites dans nos vies, nous devrions nous montrer encore plus vigilants. Les écoles du dimanche, les classes d'études bibliques, les chaires, les écoles et les médias subissent l'assaut des faux docteurs et des faux prophètes. Ils vont jusqu'à utiliser certains termes du christianisme, comme *paix, amour, naître de nouveau*. Observez les termes bibliques qui pullulent dans la littérature profane dans un sens tout à fait différent: *messie, Christ, rédemption, régénération, genèse, conversion, miséricorde, salut, apôtre, prophète, sauveur, chef spirituel*. Même les grands termes théologiques, comme *évangélique, Bible infaillible*, etc., perdent rapidement leur sens initial.

Des milliers de chrétiens qui n'ont pas été instruits se font abuser aujourd'hui, comme les millions d'êtres humains qui rejettent ou ignorent le vrai Christ. Les faux docteurs, dont les arguments semblent le comble même de l'érudition, dupent les multitudes.

Paul n'est pas tendre pour les faux docteurs: «L'Esprit dit expressément que, dans les derniers temps, certains renieront la foi pour s'attacher à des esprits trompeurs et à des doctrines diaboliques, séduits par des menteurs hypocrites marqués au fer rouge dans leur conscience.» (1 Timothée 4,1-2)

La Bible est claire: beaucoup de ces menteurs hypocrites se sont détournés de Dieu parce qu'ils ont écouté les mensonges de Satan et délibérément choisi d'accepter les doctrines diaboliques plutôt que la vérité de Dieu.

## Retour aux sources

Les membres de l'Église et d'autres personnes assoiffées de spiritualité recherchent une expérience personnelle et vitale avec Jésus-Christ. Nombreux sont ceux qui se sont tournés vers d'autres formes d'adoration, en plus des services religieux.

En 1965, j'ai écrit dans *Un monde en flammes*: «Si l'Église ne retrouve pas rapidement son message fondé sur l'autorité de la Bible, nous verrons des millions de chrétiens aller chercher leur nourriture spirituelle en dehors de l'Église instituée.» C'est exactement ce qui s'est passé depuis.

On estime qu'il existe maintenant plus de deux millions de groupes de prière et d'études bibliques se réunissant dans les maisons et les églises des États-Unis, et qui n'existaient pas il y a dix ans. Ce qui nous donne le plus d'espoir, c'est de voir que le leadership confessionnel commence à reconnaître ce fait et à promouvoir les études bibliques, à un niveau accessible aux laïcs et sous une supervision adéquate.

Nos propres Campagnes ont révélé, ces dernières années, une augmentation fort importante du nombre de groupes de prières qui se réunissent dans les maisons. Au cours de nos dernières Campagnes, nous avons mis sur pied un groupe de prières dans presque toutes les rues de la ville. Résultat: des milliers de groupes de prières supplémentaires se réunissent après les Campagnes — dans certaines villes, on en compte jusqu'à 5000.

Comme presque 50 millions d'Américains adultes ont fait l'expérience d'une conversion religieuse de type «renaissance», je crois important de bien comprendre de quoi il s'agit.

## Un vieux cliché

Rien ne peut être plus grossièrement faux que le vieux cliché selon lequel «toute religion fait l'affaire pourvu que l'on soit sincère». Qu'arriverait-il si on appliquait le même raisonnement à un bébé? La mère dirait: «Je n'ai pas de lait, mais je tiens absolument à ce que mon bébé se nourrisse. Alors, je vais lui donner un biberon de coca-cola ou de vin. Après tout, ce sont des liquides.» Aussi ridicule que cela paraisse, ce ne l'est pas plus que l'ancien cliché sur la religion et la sincérité.

Qui a inventé la religion? Revenons aux deux frères du jardin biblique. Les deux autels dressés hors du jardin d'Éden illustrent la différence entre la vraie religion et la fausse. Le premier autel appartenait à Abel qui avait fait au Seigneur l'offrande des premiers-nés de son troupeau. Abel était motivé par l'amour, l'adoration, l'humilité, le respect et l'obéissance. Et la Bible nous apprend que le Seigneur a apprécié Abel et son offrande.

Caïn, lui, a fait un sacrifice sans effusion de sang, et la Bible rapporte que Dieu «n'agréa pas Caïn et son offrande». (Genèse 4,5)

Dieu se montrait-Il injuste? Après tout, Caïn n'essayait-il pas de Lui plaire? N'était-il pas sincère?

La Bible raconte cette histoire pour nous enseigner qu'il y a une bonne et une mauvaise manière d'entrer en contact avec Dieu. Abel avait apporté un sacrifice de sang, comme Dieu l'avait demandé; Caïn avait fait son sacrifice végétal d'une manière égoïste et superficielle, désobéissant à Dieu en ne venant pas à l'autel motivé par la foi. Quand Dieu a dédaigné le sacrifice de Caïn, Caïn a tué son frère. Le respect de Caïn pour Dieu n'était sans doute que de la religiosité creuse, creuse comme la vie qu'il allait mener par la suite. Il a quitté sa famille et a erré sur la terre, amer, criant au Seigneur: «Ma peine est trop lourde à porter!» (Genèse 4,13)

Caïn était sincère, mais il se trompait.

La religion humaniste apparaît même sous le nez de grands serviteurs de Dieu. Quand Moïse, sur le mont Sinaï, a reçu les «tables de pierre écrites du doigt de Dieu», la fausse religion se manifestait dans le camp d'Israël. Le peuple a dit à Aaron: «Allons, fais-nous un Dieu qui aille devant nous.» Aaron était séduit par l'idée d'une nouvelle religion et leur a répondu: «Ôtez les anneaux d'or qui sont aux oreilles de vos femmes, de vos fils et de vos filles et apportez-les-moi.» Aaron a fait fondre tout cet or pour en mouler une statue de veau et le peuple a dit: «Voici ton Dieu, Israël, celui qui t'a fait monter du pays d'Égypte.» (Exode 32,1-4)

Dans toute l'histoire de l'humanité, des croyances idolâtres ont érodé les fondements de la vérité. Qu'elles soient anciennes ou modernes, elles ont présenté une façon autre que celle qui est établie par la Bible pour entrer en contact avec Dieu.

Les hommes et les femmes peuvent imaginer des moyens de satisfaire leurs appétits spirituels, mais, malgré toutes les «religions» du monde, c'est dans la Bible qu'est tracé le chemin menant à Dieu, pour tous ceux qui veulent entrer en contact avec Lui selon ses conditions.

Celui qui cherche peut trouver la réponse à ses questions.

# ◆ Chapitre 5 ◆

# Qu'est-ce que le péché?

On raconte cette histoire à propos d'un avion à réaction qui avait décollé de Chicago pour se rendre à Los Angeles. Quand l'avion géant a finalement atteint son altitude de croisière de quelque 12 000 m, les passagers ont entendu cette annonce: «Ceci est un enregistrement. Vous avez le privilège d'être à bord d'un avion entièrement informatisé. Le décollage s'est fait de façon informatisée. Grâce à l'informatique, il vole maintenant à quelque 12 000 m d'altitude. L'avion atterrira à Los Angeles de façon informatisée. Il n'y a pas de pilote à bord. Pas de copilote et pas de mécanicien de bord. Mais ne vous inquiétez pas. Aucune défectuosité n'est possible… n'est possible… n'est possible… n'est possible… n'est possible…»

Quelque chose ne va pas en cette ère d'informatisation. C'est une ère qui est censée être scientifiquement avancée et moralement libérée. Mais elle ne l'est pas. Qu'est-ce qui ne va pas?

Dans toutes les grandes villes d'Amérique et d'Europe, le crime est en nette progression. La vague criminelle a déferlé sur le monde comme un raz-de-marée. Dans un magazine, on peut lire qu'aux États-Unis, «depuis 14 ans, les vols ont augmenté de 255 p. 100, les viols de 143 p. 100, les coups et blessures de 153 p. 100 et les meurtres de 106 p. 100[1]».

Les statistiques demeurent froidement impersonnelles, jusqu'à ce que vous soyez vous-même la victime d'un crime. On m'a dit que dans une certaine université privée d'excellente réputation, établie dans une petite ville de l'Ouest, les étudiantes ne sortent pas de leur chambre le soir, de crainte d'être attaquées ou violées. Le père qui me l'a dit a envoyé sa fille y étudier pour l'éloigner des quartiers dangereux des grandes villes. Cela s'est révélé un mauvais choix de sa part.

Dans les villes, il n'existe plus de quartiers sûrs. Une femme peut se faire assommer avec un revolver dans un terrain de stationnement souterrain et se faire voler son sac; un homme peut se faire attaquer sur le chemin du travail. Les criminels ne respectent pas les cheveux blancs: dans bien des quartiers, les personnes âgées vivent un véritable cauchemar de terreur. À New York, la police a accusé un gang de six adolescents — dont un de 13 ans seulement — du meurtre par étouffement de trois vieillards sans le sou. L'une des victimes est morte, son châle de prière enfoncé dans la gorge.

L'être humain est un véritable paradoxe. Haine, dépravation et péché d'une part; bonté, compassion et amour d'autre part. Il est un pécheur invétéré, mais il possède aussi des traits qui le font ressembler à Dieu. Il n'est donc pas étonnant que Paul parle de cette maladie de l'homme comme du «mystère de l'impiété».

Certains n'aiment pas le mot «péché» qui, à leurs yeux, ne s'applique qu'aux autres. Mais tout le monde reconnaît que la race humaine est malade et que, quel que soit le nom de sa maladie, c'est un mal qui affecte toute vie.

Qu'est-ce que le péché? La *Confession de Westminster* le définit comme «tout manque de conformité avec la loi de Dieu, toute transgression de cette loi». Le péché, c'est tout ce qui va à l'encontre de la volonté de Dieu.

## L'origine du péché

Où le péché a-t-il commencé et pourquoi Dieu l'a-t-il permis? La Bible nous aide à trouver la réponse à ces questions quand elle nous enseigne que le péché n'a pas son origine chez l'homme mais chez l'ange que nous appelons Satan. Ce n'était pas un ange ordinaire, mais la plus magnifique des créatures!

Le prophète Ézéchiel décrit ainsi cet être noble: «Toi, j'avais fait de toi un chérubin protecteur aux ailes déployées, tu étais sur la sainte montagne de Dieu. [...] Ta conduite fut exemplaire depuis le jour de ta création, *jusqu'à ce que fût trouvée en toi l'injustice.*» (Ézéchiel 28,14-15, les italiques sont de moi.) Voilà qui nous donne une idée de l'origine du péché. Dans un passé inconnu, le péché a été trouvé dans le cœur d'une magnifique créature céleste.

Le prophète Isaïe nous fournit un autre indice sur l'origine du péché: «Comment es-tu tombé du ciel, étoile du matin, fils de l'aurore? As-tu été jeté à terre, vainqueur des nations? Toi qui avais dit dans ton cœur: "J'escaladerai les cieux, au-dessus des étoiles de Dieu j'élèverai mon trône, je siégerai sur la montagne de l'Assemblée, aux confins du septentrion. Je monterai au sommet des nuages, je m'égalerai au Très-Haut." Mais tu as été précipité au shéol, dans les profondeurs de l'abîme.» (Isaïe 14,12-15)

Voilà qui explique tout. Le péché de Lucifer a été son ambition excessive. Il est tombé et est devenu Satan. Il voulait être comme Dieu, être son égal! Voilà la manifestation d'un orgueil sans bornes. Le Nouveau Testament nous donne une idée du péché d'orgueil quand il parle de celui qui, l'orgueil lui tournant la tête, vient «à encourir la même condamnation que le diable». (1 Timothée 3,6)

## De Satan aux pécheurs

Le péché a commencé par la révolte de Lucifer et a continué dans la révolte de l'homme contre Dieu. Dans le péché, on substitue la vie pour soi à la vie pour Dieu.

La Bible explique clairement comment le péché est entré dans la race humaine. Dans le merveilleux jardin d'Éden poussaient beaucoup d'arbres dont l'un symbolisait la connaissance du bien et du mal. Dieu dans sa sagesse avait dit: «Mais du fruit de l'arbre qui est au milieu du jardin [...] vous n'en mangerez pas, vous n'y toucherez pas, sous peine de mort.» Adam et Ève, à cause d'une ou deux bouchées, ont violé ce qu'ils savaient être la volonté de Dieu. (Voir Romains 5,12-19, Genèse 3,1-8, 1 Timothée 2,13-14.)

Dieu aurait pu nous créer comme des robots qui obéiraient mécaniquement à sa volonté. La réaction d'Adam et d'Ève aurait alors échappé à leur contrôle. Mais Dieu nous a créés à son image, et Il souhaite que la créature adore son Créateur par amour. Cela peut s'accomplir par l'exercice du libre choix. L'amour et l'obéissance forcés ne satisfont pas Dieu. Il voulait des enfants, et non des robots.

Un ami pasteur avec qui nous dînions un jour m'a parlé de son fils qui fréquentait l'université et qui était devenu «très sage». «Papa, dit-il, je ne suis pas sûr, quand je finirai mes études, de pouvoir te suivre dans ta foi chrétienne si simple.» Notre ami avait alors regardé son fils droit dans les yeux et lui avait répondu: «Fiston, c'est là ta liberté — ta terrible liberté.»

C'est cela que Dieu a donné à Adam et à Ève — et qu'il nous donne à nous tous — la liberté de choisir. Notre «terrible liberté». Dieu a fait le don de la liberté à l'humanité. Nos premiers parents avaient le choix d'aimer Dieu ou de se révolter et de construire leur monde sans Lui. L'arbre de la connaissance du bien et du mal n'était qu'un test — et ils ont échoué.

## Le péché est une révolte

Pourquoi Adam et Ève, dans leur Paradis, ont-ils choisi de se révolter? La cause de leur révolte était «la convoitise de la chair, la convoitise des yeux et l'orgueil de la richesse». (1 Jean 2,16) C'est à cette convoitise qu'Ève a succombé. «La femme vit que l'arbre était bon à manger et séduisant à voir, et qu'il était, cet arbre, désirable pour acquérir le discernement. Elle prit de son fruit et mangea. Elle en donna aussi à son mari, qui était avec elle, et il mangea.» (Genèse 3,6)

Des siècles plus tard, le Christ a fait face aux mêmes tentations dans le désert. Il y a résisté et, ce faisant, Il nous a montré qu'il était possible de résister aux tentations de Satan. (Matthieu 4,1-11)

Les Dix Commandements nous mettent en garde contre l'envie et la convoitise. Cependant, toute loi morale est bien plus qu'un test; elle existe pour notre propre bien. Chaque loi que Dieu nous a donnée est pour notre bien. Celui qui la viole ne fait pas que se révolter contre Dieu, il se fait du mal à lui-même. Dieu nous a donné sa loi parce qu'Il nous aime. Ses commandements nous ont été donnés pour protéger notre bonheur, pour le rendre plus profond, et non pas pour l'entraver. Dieu souhaite ce qu'il y a de meilleur pour sa créature. Demander à Dieu de réviser ses commandements reviendrait à lui demander de cesser d'aimer l'homme.

Les enfants accusent souvent leurs parents de ne pas les «comprendre», d'être trop sévères avec eux. Le père qui dit à son fils adolescent «Rentre à 11 h et dis-moi où tu vas» souhaite protéger son enfant, pas le punir. Dieu est un père aimant.

En désobéissant au commandement de Dieu, Adam et Ève sont morts spirituellement et se sont exposés à la mort éternelle. Les conséquences de leur acte ont été immédiates et terribles. Le péché est alors devenu et reste encore un fait certain de notre monde.

Dans notre univers, nous sommes soumis à la loi de Dieu. Dans le monde matériel, l'orbite des planètes est réglé avec une précision d'une fraction de seconde. Rien n'est laissé au hasard dans les galaxies. Dans la nature, nous voyons que tout fait partie d'un plan où règne l'harmonie, l'ordre et l'obéissance. Se pourrait-il que le Dieu qui a créé un tel univers physique se montre moins exigeant sur les plans spirituel et moral? Même si Dieu aime l'homme d'un amour infini, Il ne peut ni ne veut accepter le désordre. C'est pourquoi Il a établi des lois spirituelles qui, si elles sont respectées, apporteront harmonie et satisfaction, mais qui, si elles sont violées, provoqueront dissension et désordre.

Quelles ont été les conséquences du péché d'Adam et d'Ève? Quand Satan et Adam ont défié la loi de Dieu, ils ne l'ont pas brisée, ils se sont brisés contre elle. La vie de beauté, de liberté et de communion qu'avait connue Adam était finie à jamais. Son péché a entraîné une mort vivante. La nature a été maudite et le péché a empoisonné toute la race humaine. Toute la création a été jetée dans le désordre, tandis que la terre devenait une planète révoltée!

## Manquer l'objectif

Dans le Nouveau Testament, «manquer l'objectif» est l'une des traductions proposées pour le mot «péché». Pécher, c'est ne pas arriver à vivre à la hauteur des normes définies par Dieu. Nous manquons tous l'objectif à un moment ou à un autre, car nul n'est capable de satisfaire toujours aux exigences divines.

Pour certains, même les normes de notre monde semblent inaccessibles. Les Jeux olympiques constituent l'un des spectacles les plus intenses et les plus fascinants qu'il nous soit donné de voir. Les athlètes, qui se sont entraînés pendant des années, apprenant à maîtriser leur esprit et leur corps, manquent souvent leur objectif. L'une des meilleures patineuses artistiques craint qu'une chute ne vienne ruiner sa performance: «Imaginez tout le temps que j'ai consacré à ce travail et combien d'autres personnes m'ont aidée. Une seule faute, et tout tombe à l'eau[2].»

Dans notre vie spirituelle aussi, nous tombons constamment. Il nous est impossible de fournir une performance parfaite. Le roi David a dit: «Tous ils sont dévoyés, ensemble pervertis. Non, personne n'agit bien, non, pas un seul.» (Psaumes 14,3)

Le prophète Isaïe a admis: «Tous, comme des moutons, nous étions errants, chacun suivant son propre chemin.» (Isaïe 53,6)

Nous sommes tous souillés par le péché d'Adam. David a dit: «Vois: mauvais je suis né, pécheur ma mère m'a conçu.» (Psaumes 51,7) Cela ne signifie pas qu'il est né hors des liens du mariage, mais qu'il a hérité de ses parents la tendance à pécher.

«Pourquoi devrions-nous être punis pour les péchés d'Adam?» Réfléchissez un peu. Auriez-vous mieux fait qu'Adam? Moi, je sais que je n'aurais pas fait mieux que lui.

Nous sommes tous pécheurs par choix. Dès l'âge où nous sommes responsables de nos actes, quand nous devons choisir entre le bien et le mal, il arrive souvent que nous choisissions le mal — que nous mentions, que nous nous mettions en colère ou que nous agissions égoïstement. Nous médirons des autres ou les calomnierons. Nul parmi nous ne peut vraiment se fier à son cœur, pas plus qu'il ne peut se fier à un lion. Dans une réserve d'Afrique orientale, les lions peuvent se promener partout, comme s'ils étaient dans leur habitat naturel. Les gens traversent la région en voiture, pour observer les lions. Mais il leur est interdit de descendre de leur véhicule. Une femme qui avait baissé sa vitre pour mieux voir s'est fait sauvagement attaquer par un lion, sans avertissement. Ce lion avait l'air si doux, si docile; pourtant, en un terrible instant il s'est montré féroce.

La Bible formule cela de la façon suivante: «Le péché n'est-il pas à ta porte, une bête tapie qui te convoite?» Placés dans les circonstances voulues, la plupart d'entre nous sont capables d'à peu près n'importe quoi. David en est l'exemple classique. Sous la pression du désir charnel, il a connu une femme qui appartenait à un autre homme. Puis il s'est arrangé pour que ce mari gênant se fasse tuer, en l'affectant au front d'une bataille.

Vous me répliquerez peut-être: «À vous entendre, tous les hommes sont mauvais, mais ce n'est pas tout à fait vrai.» Bien sûr que ce n'est pas tout à fait vrai. Un homme peut être tout à fait droit sur le plan moral, tout en étant dépourvu de l'amour pour Dieu qui est une exigence fondamentale de la loi.

Du fait que nous ne satisfaisons pas aux exigences divines, nous sommes coupables et condamnés. Comme nous sommes coupables, nous méritons d'être punis. C'est la sainteté même de Dieu qui réagit contre le péché: «En effet, la colère de Dieu se révèle du haut du ciel contre toute impiété et toute injustice des hommes [...]» (Romains 1,18)

## *Coupables de quoi?*

La Bible nous enseigne que pécher, c'est manquer l'objectif établi par Dieu. Beaucoup d'hommes, ne connaissant pas la nature de l'objectif, n'arrivent pas à comprendre pourquoi on leur dit qu'ils le manquent.

Imaginons que l'on vous bande les yeux. On installe une cible sur l'un des murs et on vous demande de lancer une fléchette sur celle-ci. Vous lancez la fléchette dans la direction que l'on vous a indiquée. Quand on retire votre bandeau, vous constatez que votre fléchette est plantée dans un abat-jour, à un bon mètre de la cible. Vous aviez visé dans la bonne direction, mais manqué la cible.

C'est la situation de notre monde actuel: il manque la cible. C'est ce que signifiait Salomon quand il a dit: «Tel chemin paraît droit à quelqu'un, mais, en fin de compte, c'est le chemin de la mort.» (Proverbes 14,12)

Quand Dieu commence à relâcher notre bandeau pour qu'un petit peu de lumière nous atteigne, il se peut que nous apercevions au moins le contour de la cible. Par exemple, il est évident que Dieu commençait à révéler une orientation générale à la jeune fille qui m'a écrit ceci: «Je n'ai pas d'ennuis graves ou rien de la sorte, mais j'ai besoin de l'aide de Jésus-Christ. C'est ma première tentative d'entrer en contact avec Lui. J'ai 17 ans, et je veux sérieusement me considérer comme une chrétienne. Je tends les bras [...] s'il vous plaît, ne me décevez pas.»

Sa lettre montre bien qu'elle sent que «quelque chose» ne va pas dans sa vie actuelle. Ce que c'est exactement qui va mal dans sa vie et qui va bien dans la vie du Christ, elle ne le sait pas encore. Mais sa vie hors du Christ est imprégnée d'une odeur de mort qu'elle veut remplacer par le parfum du Christ. Quand elle dit qu'elle n'a pas d'«ennuis graves», elle veut dire qu'elle n'a pas été mise en état d'arrestation, qu'on ne lui a pas fait honte devant sa communauté. Mais un malaise trouble son cœur.

Pour nous aider à voir que quelque chose va terriblement mal dans notre vie et que la mort — la mort spirituelle — nous menace, Dieu nous donne «la loi», c'est-à-dire un ensemble de normes destinées à aiguiser notre jugement moral pour que nous sachions reconnaître le péché. Les Dix Commandements constituent le pivot de la loi. Ils jouent le rôle de rayons X qui révèlent la «structure interne» de nos péchés. Les quatre premières radiographies portent sur notre relation directe avec Dieu. Les six autres, sur notre relation avec autrui.

## *Lire les radiographies*

*«Tu n'auras pas d'autres dieux devant moi.»* (Exode 20,3) Un autre dieu, ce n'est pas nécessairement un bouddha de laiton ou un totem. Ce qui suscite notre intérêt le plus profond constitue notre dieu: pour certains, ce sont les sports, le travail ou l'argent — pour d'autres, le sexe ou les voyages. Mais notre intérêt le plus profond devrait être Dieu. Lui seul est digne de notre adoration. Jésus a déclaré que le commandement le plus important est d'aimer Dieu de tout notre cœur, de toute notre âme, de tout notre esprit et de toutes nos forces. Si nous y arrivions, nous prouverions ainsi que nous n'avons d'autre dieu que le Seigneur.

*«Tu ne te feras aucune image sculptée, rien qui ressemble à ce qui est dans les cieux [...]»* (Exode 20,4) Le premier commandement portait sur l'être adoré. Celui-ci porte sur la façon de l'adorer. On nous enseigne d'adorer Dieu sincèrement, avec tout son cœur. *«[...] l'homme regarde à l'apparence, mais Yahvé regarde au cœur.»* (1 Samuel 16,7) Quand nous nous agenouillons pieusement dans une église, mais que nous ignorons Dieu, nous faisons une idole de l'église.

*«Tu ne prononceras pas le nom de Yahvé ton Dieu à faux [...]»* (Exode 20,7) Il ne s'agit pas seulement de ne pas jurer, mais aussi d'utiliser le nom de la divinité — Dieu ou Seigneur — sans penser à Dieu Lui-même. Si nous marmonnons distraitement les paroles d'un cantique ou si nous nous disons chrétiens sans connaître Dieu personnellement, nous prononçons le nom de Dieu à faux.

On raconte l'histoire d'Alexandre le Grand qui avait rencontré un homme de mauvaise réputation qui s'appelait aussi Alexandre. Alexandre le Grand lui aurait dit: «Soit que tu changes ta façon de vivre, soit que tu changes de nom.»

*«Tu te souviendras du jour du sabbat pour le sanctifier.»* (Exode 20,8) Les Écritures exigent qu'un jour sur sept soit réservé à l'adoration et au repos. Jésus a dit: «Le sabbat a été fait pour l'homme, et non l'homme pour le sabbat.» (Marc 2,27) Cela signifie que l'homme a besoin d'un jour spécial. Dieu, dans sa sagesse, nous dit que notre corps en a besoin pour se reposer, tout comme notre esprit en a besoin

pour adorer. L'habitude qui a été prise de transformer le week-end en une longue période de loisirs et de divertissement, à l'exclusion de l'adoration, nous fait perdre à la fois les avantages des loisirs et ceux de l'adoration.

Nous savons qu'une nation ou qu'un individu qui travaille sept jours sur sept souffre physiquement, psychologiquement et spirituellement. Toute machine a besoin de repos de temps à autre.

*«Honore ton père et ta mère.»* (Exode 20,12) Ce commandement n'établit pas de limite d'âge pour honorer ses parents. De plus, il ne dit pas qu'ils doivent être honorables, seulement honorés. Cela ne signifie pas pour autant que l'on doive «obéir» à des parents peu honorables. Nous devons les honorer toute leur vie, pas seulement durant notre enfance, pour obéir à Dieu. L'honneur prend diverses formes: affection, bonne humeur, aide financière, respect. Pourtant, il arrive souvent que les paroles dures se fassent plus entendre au foyer qu'ailleurs. Nous disons des choses à nos parents que nous ne dirions jamais à nos collègues de travail ou à nos frères d'Église.

*«Tu ne tueras pas.»* (Exode 20,13) Le meurtre est le dernier acte d'un enchaînement d'émotions. Des attitudes d'irritation, d'envie ou de haine le précèdent. Jésus a dit: «Vous avez entendu qu'il a été dit aux ancêtres: "Tu ne tueras point"; et si quelqu'un tue, il en répondra au tribunal. Eh bien! moi je vous dis: "Quiconque se fâche contre son frère en répondra au tribunal"; mais s'il dit à son frère: "Crétin!", il en répondra au Sanhédrin; et s'il lui dit: "Renégat!", il en répondra dans la géhenne de feu."» (Matthieu 5,21-22)

Quelqu'un osera-t-il prétendre qu'il ne s'est jamais fâché contre son frère? Nous sommes tous condamnés devant cette loi, même si nous n'avons jamais tué personne.

*«Tu ne commettras pas d'adultère.»* (Exode 20,14) Un érudit a dit: «Ce qui est extraordinaire, c'est que dans les religions non chrétiennes l'immoralité et l'obscénité sont souvent en plein essor sous la protection même de la religion. On a souvent dit, très justement d'ailleurs, que la chasteté est la vertu la plus totalement nouvelle que le christianisme ait donnée au monde[3].» Même si cela est vrai, ce commandement va au-delà de la chasteté. Il ne concerne pas seulement le fait de déshonorer son conjoint en ayant des relations sexuelles en dehors du mariage, mais aussi la mentalité imprégnée de sexe. Cela comprend aussi le fait de regarder un homme ou une femme avec une attitude de désir ou de convoitise. Aux yeux de Dieu, la pureté est d'abord une affaire de cœur, puis d'action.

Devant ce qui précède, vous direz peut-être: «C'est ridicule. Personne ne peut respecter ce commandement à la lettre.» Et vous auriez raison.

*«Tu ne porteras pas de témoignage mensonger contre ton voisin.»* (Exode 20,16) On imagine qu'un témoin, c'est quelqu'un qui fait une déclaration au tribunal. Si vous mentiez à la barre des témoins en disant: «Votre Honneur, c'est parce qu'il a été provoqué que mon chien a mordu mon voisin. Il le frappait avec un bâton, et mon chien s'est défendu», alors que vous savez très bien que votre chien a mordu la jambe du voisin sans qu'il y ait eu provocation, vous porteriez un témoignage mensonger.

Et si vous potiniez d'une façon «inoffensive»? Vous manqueriez alors à ce commandement.

*«Tu ne convoiteras pas [...]»* (Exode 20,17) Quand nous prenons quelque chose qui ne nous appartient pas, c'est du vol. C'est un geste concret. Convoiter, c'est plutôt une attitude. Quand nous désirons quelque chose qui ne nous appartient pas, nous le convoitons. Combien de ménages ont été brisés parce que le mari cesse de désirer sa femme pour convoiter la femme de son voisin? Ce commandement exige que nous ne convoitions rien: ni la nouvelle maison du voisin, ni sa voiture, ni son téléviseur, ni sa caravane.

## Résultats des radiographies

Quelqu'un peut-il lire les Dix Commandements avec perspicacité et ne pas se sentir condamné à cause d'eux? Ils révèlent l'état de notre cœur. L'apôtre Jacques a dit un jour que si l'on manquait à un seul commandement, c'était suffisant pour nous détruire. Si une chaîne à dix maillons nous empêche de tomber dans le précipice, combien de maillons doivent céder pour que nous tombions? «Aurait-on observé la Loi tout entière, si l'on commet un écart sur un seul point, c'est du tout qu'on devient justiciable.» (Jacques 2,10)

La Bible et notre conscience nous disent que nous avons manqué de loin l'objectif et que nous sommes pécheurs. Que fait alors le Dieu Saint? Comment Dieu réagit-il à notre péché?

Nous percevons une ébauche de réponse à cette question dans les paroles d'un jeune homme, qui avait douloureusement pris conscience du commandement «Tu ne voleras pas.» Il a raconté ceci: «Ma vie n'a pas été facile. Avant l'âge de 13 ans, j'étais déjà un voleur dans le cœur, dans la parole et dans le geste. J'avais été arrêté à maintes reprises. J'ai passé quelque temps à l'école de réforme et, moins d'une semaine après ma libération, je m'étais déjà remis à voler.» Il dit que sa famille avait renoncé à essayer de le changer et qu'elle croyait qu'il n'avait aucun avenir. Un soir, à la télévision, il a entendu l'Évangile. Il s'est trouvé une Bible et a commencé à la lire. Résultat: il a imploré le Christ de lui pardonner son passé. Aujourd'hui, ce jeune homme demande au Christ de l'aider à se rebâtir une base solide et de lui donner un nouvel avenir.

Comment Dieu peut-Il nous pardonner? Qu'arrive-t-il si le péché devient une habitude de vie, que nous soyons atteints du «syndrome du péché»? Reste-t-il un espoir?

S'il ne restait aucun espoir, je n'écrirais pas ce livre! S'il n'existait pas de réponse à nos grandes questions, probablement que vous ne le liriez pas.

# ◆ CHAPITRE 6 ◆

# Dieu a-t-Il un remède contre notre maladie spirituelle?

En Australie, un médecin m'a rapporté une conversation qu'avaient eue un coiffeur et son client. Dans le cliquetis des ciseaux, le premier avait dit au second: «Hem... vous avez une lésion à la lèvre.»

— Ouais. C'est la cigarette qui m'a fait ça.

— On dirait qu'elle ne guérit pas.

— Oh! oui, elle guérira, c'est sûr.»

L'homme semblait persuadé. Un mois plus tard, il est revenu chez le coiffeur. Sa lèvre était ouverte et vilaine.

«Ne vous en faites pas, a dit l'homme au coiffeur, j'utilise maintenant un fume-cigarette. Ma lèvre guérira bientôt.»

Le coiffeur, préoccupé par la santé de son client, a cherché des photos médicales illustrant le cancer des lèvres. Il a ensuite incité son client à se regarder dans le miroir et à comparer les lèvres photographiées aux siennes.

«Elles se ressemblent pas mal, a-t-il reconnu, mais je ne m'en fais pas.»

Trois mois plus tard, l'homme n'est pas venu au salon comme d'habitude. Le coiffeur a appelé chez lui pour prendre de ses nouvelles. On lui a répondu: «Ne le saviez-vous pas? Il est mort du cancer il y a deux jours.»

Le péché est semblable à un cancer. Il détruit à petit feu. Lentement, insidieusement, il progresse jusqu'au diagnostic final: condamné à mort.

Un homme nous a raconté qu'il a été élevé dans un foyer chrétien en Europe, que, jeune, il est venu chercher fortune en Amérique, qu'il s'est converti au Christ, puis qu'il a dévié de sa route. De tentation en tentation, il s'est finalement trouvé dans un état qu'il croyait sans espoir. Je n'oublierai jamais sa façon de décrire la progression: «C'est comme se trouver dans un océan agité par de forts courants. On ne se rend pas compte qu'on est à la dérive jusqu'à ce que, soudainement, on se trouve en eaux profondes, qu'on essaie désespérément de rester à flot, mais qu'on est incapable de résister à la vague qui nous emporte au large.»

Si nous n'arrivons pas à reconnaître certains signes de danger, comment demander de l'aide? Nous pouvons trouver l'aide qu'offre la Bible quand nous connaissons les dimensions de l'être que le péché frappe et corrompt.

## Attaque contre l'esprit

Un homme peut être brillant dans certains domaines, mais tout à fait inepte pour ce qui est des réalités spirituelles. La Bible nous enseigne qu'un voile couvre notre esprit et que, pour être en mesure de connaître le Christ, ce voile doit être levé. Sans cette capacité spirituelle de voir, nous sommes incapables d'aller à Dieu.

Vous avez sans doute déjà entendu quelqu'un demander: «Comment un être intelligent pourrait-il croire à la Bible et à tous ces mythes et contradictions?» (En sous-entendant que l'Évangile de Jésus-Christ va à l'encontre de la raison.) Ce sous-entendu est contraire à la vérité. La compréhension exige le recours à l'esprit, mais quand l'esprit est miné par le péché, il est embrouillé et confus.

Joel Quinones était l'exemple vivant d'un homme dont l'esprit est attaqué. Je l'ai rencontré à San Diego où il m'a raconté son extraordinaire histoire.

Joel a été jeté en prison pour la première fois à l'âge de 8 ans, parce qu'il avait essayé de tuer un homme sadique qui le battait et le brûlait avec des mégots. À sa sortie de prison, Joel était rempli de haine. Dès ce moment, il a fait tout ce qu'il a pu pour manifester son mépris de la société. Résultat: à 19 ans, Joel s'est fait incarcérer à

San Quentin, où il a passé les onze années suivantes. On l'a envoyé chez les psychiatres de l'institution, qui l'ont examiné et lui ont fait subir des électrochocs, avant de le déclarer «fou meurtrier».

Joel a alors été enfermé avec les irrécupérables. À l'heure des repas, les aliments étaient placés sur ce qui ressemblait à une grosse pelle qui était poussée sous deux lourdes portes de sécurité. «On ne nourrit même pas les tigres de cette façon, nous a dit Joel, mais c'est comme ça qu'ils nous nourrissaient.»

Après toutes ces années à San Quentin, il a été décidé que l'on se débarrasserait de tous les étrangers indésirables; c'est ainsi que Joel, avec bon nombre d'autres Mexicains, s'est vu refoulé à la frontière mexicaine et laissé à lui-même. La mère de Joel était une sainte femme, cuisinière de l'école biblique. Elle était présente dans la salle d'audience de la cour quand Joel avait été condamné pour la première fois. Elle lui avait alors dit: «Joel, ce n'est pas la fin. Jésus a du travail pour toi.»

À l'arrivée de Joel au Mexique, sa mère l'attendait. Le prenant dans ses bras, elle lui a dit: «Joel, tu as besoin du Seigneur Jésus; tu dois l'implorer de te pardonner tes péchés, de te donner un cœur nouveau et une nouvelle vie.»

Joel a éprouvé beaucoup de difficulté à le faire, mais quand le Seigneur en a eu fini avec lui, il était transformé. Il est allé à l'école biblique, il a épousé une camarade de classe; aujourd'hui il est aumônier dans une prison mexicaine. Il a converti tant de prisonniers au Christ qu'il s'occupe maintenant de la construction d'une maison de transition, un «Foyer de refuge», où ces prisonniers viendront se réhabiliter avant de retourner à la vie normale.

Le péché avait affecté l'esprit de Joel, mais la puissance transformatrice du Christ lui a donné de nouvelles capacités.

En écrivant ces lignes, je regarde le poignard au manche de corne et à lame de 13 cm qui a appartenu à Joe Medina. L'histoire de Joe est l'une des plus incroyables, des plus comiques et des plus impressionnantes illustrations que je connaisse du pouvoir que Dieu peut exercer sur une vie que d'aucuns qualifieraient de sans espoir. Une attaque de l'esprit? Joe était tout simplement incapable d'une pensée droite.

Joe avait grandi dans un ghetto du Bronx. Sa mère, comme ses deux grands-mères, était médium. Les rues de New York avaient été le domaine de Joe depuis son enfance; guerres de gangs, bagarres au couteau, vols et tromperies étaient pour lui une façon de vivre. Il était l'un de ces jeunes rebelles désenchantés des années 1960 — consommateur de drogues et voleur accompli.

Cependant, Joe a assisté à un rassemblement où l'un de nos évangélistes, Akbar Haqq, s'est adressé à la foule. Avant même la fin de la soirée, Joe avait donné son cœur à Jésus-Christ. Le lendemain de sa conversion, l'un de ses compagnons a essayé de le convaincre de l'accompagner pour aller chercher des drogues. Mais Joe ne voulait rien entendre. Le compagnon a brandi un couteau, en le menaçant de le faire passer de vie à trépas. C'était une grave erreur. Joe était petit de taille, mais vif comme l'éclair. Lui-même armé d'un couteau (celui qui se trouve sur mon bureau), avant même de se rendre compte de ce qu'il faisait, il l'a plongé dans le corps de son compagnon. La victime a dû être hospitalisée pendant deux semaines.

Joe n'avait pas de base chrétienne sur laquelle s'appuyer, et sa vie spirituelle avait connu des hauts et des bas. Il s'est inscrit à un petit collège situé près de chez nous, mais il a décroché avant la fin de la première année. Je ne sais pas encore vraiment pourquoi; je crois qu'il se sentait obligé de retourner auprès de ses copains du Bronx pour partager sa foi avec eux.

Ma femme a eu une conversation avec lui avant son départ pour le convaincre de venir à notre rassemblement de Madison Square Garden. J'ai appris plus tard que Joe et quelques-uns de ses compagnons s'étaient présentés au Garden à 19 h 30. Mais le stade affichait déjà complet, et le policier de faction ne l'a pas laissé entrer. J'avais reçu des menaces de mort ce soir-là, et la police voyait d'un mauvais œil quiconque avait l'air suspect, comme c'était le cas pour Joe et ses compagnons.

Après un petit conciliabule, les jeunes gens ont décidé de s'élancer contre le cordon de police. Ils ont réussi à atteindre le dernier niveau du Garden, où ils se sont trouvés devant une colonne de policiers en civil fondant sur eux. Faisant demi-tour, les jeunes gens ont vu leur course arrêtée net par une autre colonne de policiers. En moins de deux, ils ont été jetés à la porte. Plus tard, quand on m'a raconté ce qui s'était passé, je me suis dit: «Ah! non. C'étaient justement ceux que nous voulions rejoindre!»

Joe ne s'est pas laissé démonter pour autant. Le lendemain, il retournait au Garden en compagnie de sa sœur et de son frère. Tous deux se sont avancés pour recevoir le Christ.

Pendant un certain temps, Joe a éprouvé beaucoup de difficultés à remettre de l'ordre dans ses valeurs. Un jour, il a téléphoné à Ruth: il voulait la rencontrer. Dès qu'il est arrivé, Ruth a senti que quelque chose n'allait pas: «Qu'est-ce que tu as fait, Joe?

— J'ai dévalisé une station-service.

— Mais pourquoi as-tu fait cela?

— Eh bien! j'ai un copain. Il avait besoin d'argent. Comme il n'avait jamais dévalisé de station-service, j'ai cru que c'était mon devoir de chrétien de l'aider.»

Ruth lui a demandé combien d'argent il avait volé et si son copain était chrétien. Selon Joe, il ne l'était pas. Ruth lui a fait comprendre que c'était lui, Joe, qui devrait rendre tout l'argent volé. Joe était estomaqué. Elle lui a demandé s'il avait en sa possession d'autres choses volées. Il l'a regardée d'un air étonné, comme si c'était la question la plus stupide qu'on lui ait jamais posée: «Tout ce que je possède!»

Joe a rendu tout ce qu'il avait volé. Après maints progrès et maints reculs dans son cheminement de chrétien, il a finalement été accepté au Columbia Bible College. À sa dernière année d'études, il était devenu vice-président du corps étudiant. Aujourd'hui, il y est étudiant de troisième cycle; il possède de la Bible une connaissance et un amour étonnants.

Dernièrement, il nous a rendu visite. Le pasteur presbytérien de notre communauté, Calvin Thielman, lui a demandé de nous donner un témoignage et de parler de son ministère. Joe a raconté comment il rejoignait les drogués, les décrocheurs, les rebelles. Son récit, plein d'esprit, d'humour et de compassion, a rassuré son auditoire: personne n'est irrécupérable.

Seuls ceux qui ont connu Joe depuis le début sont vraiment en mesure d'apprécier les effets prodigieux que sa nouvelle naissance a eus sur la vie de ce jeune homme. Son esprit était à ce point affecté par le péché que le processus de guérison a été très long. Quand nous naissons de nouveau, nous sommes des bébés, pas des chrétiens mûrs, et les bébés ont besoin de beaucoup d'amour et de patience!

La Bible nous enseigne que le péché affecte l'esprit, qu'il soit d'une intelligence ordinaire ou supérieure. L'homme peut être intellectuellement brillant, mais spirituellement ignorant. «L'homme psychique n'accueille pas ce qui est de l'Esprit de Dieu; c'est folie pour lui et il ne peut le connaître, car c'est spirituellement qu'on en juge.» (1 Corinthiens 2,14)

Un esprit intellectuel peut se transformer en esprit de premier ordre quand le Christ pénètre le cœur. On dit que Gerhard Dicks, l'un des hommes les plus brillants du monde, a un quotient intellectuel de 208. Il a fait breveter au moins 140 inventions chez IBM, et il a même tenté théoriquement de reproduire le cerveau humain. La complexité et l'absolue impossibilité d'une telle reproduction l'ont laissé complètement perplexe et ébranlé. Il ne savait que faire ni vers quoi se tourner. À ses yeux, l'alternative était la suivante: ou bien le cerveau humain est apparu à la suite d'un hasard fantastique, ou bien il est le résultat d'une volonté intelligente. C'est alors qu'il a compris qu'une seule réponse était possible. Il a alors cru en Dieu, tel qu'Il lui a été révélé par Jésus-Christ, dont il ne pouvait égaler l'intelligence.

Le docteur Boris Botsenko, brillant mathématicien-physicien russe, à l'occasion d'un congrès de savants à Edmonton, a lu la Bible que la Gideon Society place dans les chambres d'hôtel. Grâce à cette lecture, il a accepté Jésus-Christ et est né de nouveau. Il travaille maintenant au département de recherche de l'Université de Toronto.

## Attaque contre la volonté

Le péché attaque une autre dimension de notre être — la volonté. Jésus a dit: «Quiconque commet le péché est esclave.» (Jean 8,34) Même dans les pays où règne la plus grande liberté politique, des millions de citoyens vivent sous le joug de l'orgueil, de l'envie et des préjugés. Des millions d'autres sont esclaves des barbituriques, de l'alcool ou des narcotiques. Ils ont des défauts ou sont rongés par des désirs qu'ils abhorrent, mais demeurent impuissants. Ils voudraient s'affranchir; certains cherchent même la liberté dans des moyens que leur offrent d'autres hommes. Mais le Christ a dit: «Et vous connaîtrez la vérité, et la vérité vous libérera.» (Jean 8,32) La vérité, c'est le Christ.

J'ai connu bien des gens qui se sont libérés du joug de la volonté et du désir. Le 9 mai 1972, dans une petite église située près de Nashville, au Tennessee, un pasteur a lancé une invitation évangélique. Un homme, Johnny Cash, s'est levé, a traversé l'allée de la nef et s'est agenouillé devant l'autel. Johnny Cash déclare qu'il a donné sa vie au Christ ce jour-là. Voilà un homme dont la vie a été malmenée par les drogues et par la prison, et qui est devenu un héros dans le monde de la musique *country*. Il est maintenant l'une des forces du bien dans le monde qui sert la cause du Christ.

J'ai en ma possession une pipe à haschisch, souvenir d'un jeune homme qui était esclave de la drogue. Il avait gâché sa vie et celle de la femme qu'il aimait. Résultat: il s'est rendu en voiture dans un endroit désert et il s'est tranché les poignets. De toute évidence, il ne l'a pas très bien fait: le sang giclait à peine, et il s'est dit que, à ce rythme-là, la mort serait trop longue à venir. Il s'est donc accroupi sous le tuyau d'échappement de sa voiture, enroulé dans une couverture, pour inhaler les gaz meurtriers. Il a raconté que, au moment où les gaz commençaient à l'engourdir, il a marmonné une petite prière demandant à Dieu de lui pardonner son acte. Soudainement, un sentiment terrible s'est emparé de lui: il a senti que son acte ne plaisait pas à Dieu. Affaibli par les gaz et par la perte de sang, il s'est rendu au domicile d'un pasteur, qui l'a transporté à l'hôpital. Après les soins nécessaires, le pasteur lui a expliqué que seul le Christ peut expier nos péchés, nous libérer de notre culpabilité et nous apporter la joie d'être pardonnés.

Ce jeune homme est maintenant marié et heureux en ménage, et il exerce une influence positive sur la vie de son entourage.

La haine non résolue est une tyrannie qui rend l'homme esclave du péché qui attaque sa volonté. Il y a quelques années, le docteur William P. Wilson, alors professeur de psychiatrie à la faculté de médecine de l'Université Duke, enlevait systématiquement leur Bible à ses patients. Mais sa vie et sa pratique médicale ont été transformées par la puissance de Jésus-Christ; en traitant ses patients, il se sert maintenant de la compréhension intuitive que lui donne l'Évangile. Il distribue les Bibles qu'il garde dans son bureau. Il déclare: «La culpabilité non résolue est l'une des causes majeures de la maladie mentale. Les sentiments de honte, d'inadaptation et d'insuffisance sont souvent à l'origine du sentiment de culpabilité. Le remède à la culpabilité se trouve dans la grâce et dans la renaissance. La renaissance mène au pardon du péché.»

Le pardon est une notion difficile à comprendre pour beaucoup. Le docteur Warren Wiersbe, de Chicago, dit que le pardon est «le plus grand miracle de la Bible».

J'ai gardé une lettre d'un jeune homme qui dit: «En 1971, décrocheur de l'Université Northwestern, je revendais de la drogue. Au cours de votre Campagne de Chicago, j'ai accepté l'invitation et j'ai imploré le Seigneur de me sauver, même si, personnellement, mes habitudes impies ne me dérangeaient pas. Je Lui ai aussi demandé de me pardonner mes péchés (je pouvais m'en rendre compte sur le plan intellectuel, mais je ne les ressentais pas comme tels dans mon cœur) et de se révéler à moi d'une façon personnelle.

«Je m'attendais qu'un éclair du ciel me foudroie, ou que Dieu me plonge dans une crise mentale grâce à laquelle Il redresserait mon esprit et s'en servirait pour sa plus grande gloire. Inutile de dire que rien de cela n'est arrivé. Je me suis senti très déçu et quelque peu inquiet: toutes ces histoires de Dieu n'étaient peut-être après tout qu'une vaste supercherie. C'est alors qu'un orienteur — un homme dans la quarantaine aux cheveux courts, complet cravate, Bible à la main — s'est approché de moi. Il m'a collé sur la poitrine un badge de Jésus et m'a serré la main. "Que Dieu vous bénisse, jeune homme!" Imaginez! Ce membre de l'establishment me serrait la main, à moi, un hippie défoncé. L'amour de Dieu qu'il me transmettait m'a montré que Jésus m'aimait, malgré mes habitudes répréhensibles et mes infractions aux règles de la société. Ce simple geste de lui m'a vivement frappé. Je me suis soudain rendu compte de la simplicité du salut divin. Dieu ne voulait pas m'infliger les souffrances d'une crise mentale — tout ce qu'Il voulait, c'était que je reçoive son Fils, comme je venais de le faire!»

## Quand la conscience tombe en panne

Le péché n'affecte pas seulement l'esprit et la volonté, mais aussi la conscience. L'homme devient alors presque incapable de sentir l'imminence du péché. C'est un peu comme dire un mensonge. La première fois que vous le faites, il vous trouble. Mais, chaque fois que vous le répétez, votre conscience s'engourdit de plus en plus, et le mensonge s'enracine en vous au point que vous devenez convaincu qu'il est vérité. Vous n'êtes plus sensible aux choses que vous savez mensongères.

Un jour, Joe Medina, dont j'ai parlé un peu plus tôt, a téléphoné à ma femme d'une cabine: «Ruth, je ne suis pas ivre, je veux simplement vous dire quelque chose.»

Ruth lui a demandé pourquoi il lui téléphonait d'une cabine. Il lui a répondu qu'il se promenait en voiture avec un ami qui avait sur lui une bouteille de whisky. Cet ami, n'ayant pas le permis de conduire requis, ne devait pas conduire, encore moins en buvant de l'alcool. Joe a alors ajouté, fidèle à sa logique habituelle: «Ruth, j'ai cru de mon devoir de chrétien de boire toute la bouteille de whisky à sa place.»

La patience de ma femme ne cessera jamais de m'étonner. Elle lui a répondu: «Joe, tu as bu cette bouteille de whisky parce que tu voulais la boire.»

Après un long silence, Joe a reconnu que Ruth avait raison.

Joe avait été habitué à considérer le mal comme le «bien». Il savait mentir, tricher, et trouver une justification à n'importe quelle situation. Si ce n'était de l'amour de Dieu, il aurait encore cette disposition aujourd'hui.

Partout dans les Écritures, on montre ce qu'il advient à celui qui ne sait plus distinguer le bien et le mal. Le premier regard de David sur Bethsabée a déclenché une suite d'événements, de l'adultère au meurtre, en passant par la tromperie. David a vu ses péchés pardonnés, mais il a dû en payer les conséquences sur la terre. La récolte a été amère; son règne a été assombri par des troubles constants.

Compte tenu de la façon dont nous permettons à notre conscience de s'émousser, la patience de Dieu est étonnante. La Bible dit: «Le Seigneur ne retarde pas l'accomplissement de ce qu'il a promis, comme certains l'accusent de retard, mais il use de patience envers vous, voulant que personne ne périsse, mais que tous arrivent au repentir.» (2 Pierre 3,9)

Si patient que Dieu soit, Il est également juste. Quand le cœur de l'homme s'endurcit, Dieu continue de lui parler, mais l'homme ne peut l'entendre. On lit dans la Genèse 6,3: «Que mon esprit ne soit pas indéfiniment responsable de l'homme.» Si Dieu se rend compte que l'homme refuse de se repentir, «il y a [finalement] un péché qui conduit à la mort». (1 Jean 5,16) C'est là une allusion au blasphème contre l'Esprit Saint, rejet final du plan de salut de Dieu, dont on parle également dans l'Épître aux Hébreux 6,4-6: «Il est impossible, en effet, pour ceux qui une fois ont été illuminés, qui ont goûté au don céleste, qui sont devenus participants de l'Esprit Saint, qui ont goûté la belle parole de Dieu et les forces du monde à venir, et qui néanmoins sont tombés, de les rénover une seconde fois en les amenant à la pénitence, alors qu'ils crucifient pour leur compte le Fils de Dieu et le bafouent publiquement.»

Quand la conscience de l'homme a disparu, il recourt à toutes sortes d'excuses pour justifier ses gestes. Il blâme sa famille, ses associés, la malchance, n'importe quoi. Il fraude le fisc parce que les lois sont injustes. Il trompe sa femme, parce qu'elle est froide ou étourdie. Ni le bien ni le mal n'existent plus, plus de blanc plus de noir, la vie se vit tout en gris.

À Athènes, au cours des dernières années, les colonnes et les statues du Parthénon se sont érodées à un rythme accéléré. Ce ne sont pas des tempêtes ni le temps qui sont à l'origine de la destruction imminente de ces joyaux architecturaux, mais la pollution des déchets de la société moderne. De même, ce ne sont pas les tempêtes de la vie qui nous érodent, mais la pollution graduelle et insidieuse du péché, qui entraînera notre destruction.

## Malade à en mourir

Le crime appelle un châtiment; le péché a son prix. Même si c'est un sujet que nous préférerions ignorer, le fait est inéluctable. Non seulement chacun de nous souffre à cause de ses péchés, mais chacun fait face au jugement à venir. «Car le salaire du péché, c'est la mort.» (Romains 6,23)

Il y a d'abord la *mort physique*. La Bible dit: «Et comme les hommes ne meurent qu'une fois [...]» (Hébreux 9,27) De fait, voilà qui élimine toute possibilité de réincarnation.

La mort est inévitable et, dans bien des cas, imprévisible. Chaque homme a rendez-vous avec la mort, un certain jour, à une certaine heure et à une certaine minute. Si Dieu ne nous avait pas condamnés à la mort physique, la terre deviendrait vite inhabitable, parce que les hommes vivraient pour toujours dans leurs péchés.

La vie étant courte, la Bible nous enseigne qu'il faut nous préparer à rencontrer notre Dieu. (Amos 4,12) Dans ma vie, j'ai connu beaucoup d'hommes et de femmes qui étaient tout à fait préparés pour rencontrer Dieu. Il y a une différence étonnante entre ces gens et ceux qui ont vécu une vie sans Dieu.

Je n'oublierai jamais l'été 1973. C'est l'année où est entré au ciel l'un des plus grands chrétiens qu'il m'ait été donné de connaître. C'était le docteur L. Nelson Bell, mon beau-père. Il a servi le Christ pendant des années en Chine, comme chirurgien missionnaire. En 1972, il était Président de l'Assemblée générale de l'Église presbytérienne des États-Unis, le plus grand honneur que puisse conférer cette Église. La veille de sa mort, il avait prononcé une allocution à la World Missions Conference, à Montreat.

À la fin de son allocution, il a dit: «Avant de prier, j'ai quelques mots à vous dire. Après avoir entendu ces cantiques, personne ne peut nier que notre Église presbytérienne est en train de se réveiller. Ici, il y a deux genres de personnes. Ceux qui se savent sauvés et qui aiment le Seigneur Jésus-Christ, et ceux qui ne Le connaissent peut-être pas encore. Mon seul espoir, c'est que, avant de quitter cet endroit, vous en veniez à Le reconnaître comme étant votre Seigneur et Sauveur. Le Seigneur a dit: "Je suis à votre porte et je frappe. Si l'homme m'entend et ouvre la porte, j'entrerai, je communierai avec lui et lui avec moi."»

Ce sont les dernières paroles publiques du docteur Bell. Ce soir-là, il est allé dormir et, quand il s'est réveillé, il s'est trouvé en présence de son Seigneur. La boucle était bouclée. Son cantique préféré était *All the Way My Saviour Leads Me*; quand je l'ai vu le lendemain matin, j'ai été réconforté de voir le visage d'un homme si serein.

Il s'était préparé à rencontrer Dieu.

Je me souviens des dernières paroles de Pearl Goode, une femme extraordinaire qui, au fil des années, a toujours été l'un de nos plus grands soutiens par ses prières. Il lui arrivait souvent de se retirer du monde et de prier jour et nuit pour l'équipe de notre Campagne, où que nous nous trouvions. Elle vivait une telle communion avec le Christ, que, quand sa dernière heure a sonné, elle s'est relevée dans son lit et a dit: «Eh bien! Le voilà. Voilà Jésus!» Elle était prête à rencontrer Dieu.

Durant l'été 1976, une crue subite des eaux a fait un grand nombre de victimes au Colorado, dont de jeunes chrétiennes qui étaient en retraite. Les hommes chargés de retrouver les corps des victimes ont rapporté plus tard qu'une expression d'horreur se lisait sur la plupart des visages mais que, à leur grand étonnement, chacune des jeunes chrétiennes semblait être morte dans la plus grande paix. Elles étaient prêtes à rencontrer Dieu.

La vie est courte. La Bible nous dit que nous devons toujours être prêts à rencontrer Dieu. Nous ne savons jamais ce qui nous attend quand nous montons dans notre voiture, quand nous franchissons le seuil de notre maison, ou quand nous nous éveillons le matin. «Puisque ses jours sont comptés, que le nombre de ses mois dépend de toi, que tu lui fixes un terme infranchissable [...]» (Job 14,5)

Il y a ensuite la *mort spirituelle*. Des millions d'hommes sur la terre sont physiquement vivants, mais spirituellement morts. Ceux dont les yeux et les oreilles sont sensibles aux cris des autres savent reconnaître les hommes qui sont vides et perdus. Ces hommes-là se sont séparés de la source de vie et, comme une lampe débranchée, sont dans les ténèbres et sans vie. La lampe peut être belle et l'abat-jour peut attirer l'attention, mais la lumière ne s'allume pas si elle n'est pas branchée à la source d'énergie. Jésus a dit: «Je suis la vie.»

Les médias du monde entier ont rapporté le suicide du chanteur populaire Freddie Prinze. À 22 ans, il avait atteint la gloire dans le monde du spectacle. Enfant chéri de la télévision, il venait de se produire à un gala d'inauguration honorant le nouveau président des États-Unis. Pourtant, quelque chose de terrible se passait dans la vie de ce talentueux comédien chanteur. Un ami proche, l'humoriste David Brenner, a expliqué ceci dans le magazine *Time*: «Il n'y a pas eu de période de transition dans la vie de Freddie. C'est difficile pour un jeune de 19 ans de passer du jour au lendemain du métro à la Rolls-Royce.» Le producteur Komack, également un ami intime, a déclaré: «Freddie ne voyait rien autour de lui qui puisse le satisfaire. Il me demandait souvent "C'est ça la vie? C'est ça?" Son abattement, même s'il arrivait mal à le formuler, portait sur ces questions: "Quelle est ma place? Où est mon bonheur?" Je lui disais: "Freddie, ton bonheur est ici. Tu es une vedette." Il me répondait: «Non, cela ne m'apporte plus de bonheur."» Comme l'a dit le journaliste de *Time* à la fin de son article: «Même s'il s'agissait là de l'un des cas les plus singuliers d'évasion du ghetto, l'évasion n'était pas suffisante.»

Nous pouvons être physiquement vivants, mais spirituellement morts, comme la femme dont on dit «quoique vivante, elle est morte». (1 Timothée 5,6)

Il y a finalement la *mort éternelle*. C'est sans doute celle que la plupart tentent d'éviter. On entend beaucoup parler d'«enfer sur la terre», mais il existe un autre enfer, bien plus réel et bien plus certain, c'est l'enfer de la mort éternelle. Jésus lui-même a souvent parlé de l'enfer. Il nous a mis en garde. Les Écritures nous enseignent que chacun de nous sera seul en enfer et supportera seul ses souffrances. Il n'y a pas de communion en enfer, à part la communion avec les ténèbres. J'ai souvent entendu des gens dire: «Si je savais que mon père [ou un autre être cher] était en enfer, c'est là que je voudrais être aussi, auprès de lui!» Quelles illusions! L'enfer est l'endroit où l'on est le plus seul!

Jésus a mis les hommes en garde: «Et ils s'en iront, ceux-ci à une peine éternelle, et les justes à une vie éternelle.» (Matthieu 25,46) Il a aussi dit: «Le Fils de l'homme enverra ses anges, qui ramasseront de son Royaume tous les scandales et tous les fauteurs d'iniquité, et les jetteront dans la fournaise ardente: là seront les pleurs et les grincements de dents.» (Matthieu 13,41-42)

Il n'y a pas moment plus urgent pour parler de l'éternité que celui où la mort physique nous menace. Une amie m'a raconté que, le lendemain de la mort de son fils dans un accident d'avion, tandis que sa maison était remplie de proches venus lui offrir amour et consolation, quelque chose s'est passé dans sa chaudière. Elle a fait venir un réparateur. Après avoir examiné la chaudière, celui-ci a dit à mon amie: «Madame, si vous aviez tardé à m'appeler, votre chaudière aurait pu exploser.» Le cœur déchiré par le chagrin, elle a réfléchi un instant avant de dire à l'homme: «Il n'y a qu'une chose qui compte en ce moment. Si cette chaudière avait explosé pendant que vous la répariez, savez-vous avec certitude où vous passeriez l'éternité?»

Avant de quitter la maison de mon amie, cet homme a appris comment avoir l'assurance de sa destinée éternelle.

## *Les deux visages de l'homme*

L'homme est un véritable Janus. L'un de ses visages montre son ingéniosité, sa capacité de créer, d'être bon et de respecter la vérité. Son autre visage révèle qu'il utilise malicieusement son ingéniosité. Nous le voyons en train de faire preuve de bonté, astucieusement, afin de faire avancer un projet secret. D'une part, nous voyons l'homme qui admire un beau coucher de soleil et, d'autre part, l'homme qui occupe un poste où il remplit l'atmosphère de déchets qui voilent quasiment le coucher de soleil. Sa recherche de la vérité dégénère souvent en une course effrénée vers une découverte scientifique dont l'honneur lui reviendra.

L'homme est à la fois digne et vil.

La nécessité d'une renaissance spirituelle est évidente à l'observateur le moins perspicace de la nature humaine. L'homme est tombé, perdu, éloigné de Dieu. De tout temps, toutes les tentatives pour sortir l'homme de son état de perdition ont suivi l'un ou l'autre de ces plans.

## *Plan A et Plan B*

Revenons à Caïn et à Abel. Les fils d'Adam et d'Ève représentent respectivement le Plan A et le Plan B du salut. Caïn a choisi de suivre son propre plan de salut, le Plan A; Abel, obéissant, a suivi le plan de Dieu, le Plan B.

Caïn était un humaniste religieux et un matérialiste qui se suffisait à lui-même. Il a sacrifié sur l'autel le produit de son propre labeur; il est devenu le prototype de tous ceux qui osent s'approcher de Dieu sans effusion de sang.

Le plan de Caïn n'a pas marché pour lui. Il n'a jamais marché pour personne, et il ne marche pas aujourd'hui non plus. Seul Dieu peut diagnostiquer avec justesse notre «maladie», Lui seul possède le remède. Dieu a choisi le sang comme symbole de rédemption. L'apôtre Jean a écrit que Jésus-Christ «nous a lavés de nos péchés par son sang». (Apocalypse 1,5)

Quand Jésus-Christ, l'Homme-Dieu parfait, a versé son sang sur la croix, Il a donné sa vie immaculée en sacrifice éternel pour le péché de l'homme. Dieu a assuré parfaitement, une fois pour toutes, la guérison des péchés de l'homme. Sans le sang du Christ, le péché est une maladie mortelle.

Chacun de nous doit choisir l'un ou l'autre des deux plans: celui de l'homme ou celui de Dieu. Lequel?

# DEUXIÈME PARTIE

# La réponse de Dieu

# ◆ CHAPITRE 7 ◆

# L'homme qui est Dieu

J'écris le présent chapitre quelques jours après Noël. Les cartes de souhaits continuent d'arriver, éblouissantes, débordant de ma boîte aux lettres. Beaucoup sont ornées d'une représentation de Jésus, quelquefois bébé dans un berceau mal équarri, quelquefois berger entouré d'enfants. Le monde s'est toujours demandé à qui Il ressemblait. Que ce soit dans les magnifiques cathédrales d'Europe ou dans les petites écoles du dimanche d'Amérique, on peut voir comment les peintres se sont représenté Jésus. Je me trouvais en Afrique quelques jours avant Noël; j'y ai vu un bébé Enfant-Jésus noir. L'an passé, en Orient, à la même époque, j'ai vu Jésus en bébé oriental.

Quelle image le monde se fait-il de Jésus? Certains se Le représentent comme un homme de race blanche aux yeux bleus qui sourit légèrement, la tête entourée d'un halo. En Amérique, le nouveau Jésus populaire est un bel homme, viril, plein de charme et d'attrait. Il est probable que Jésus avait l'air d'un homme du Moyen-Orient, à la peau basanée — nous ne le savons pas vraiment. Et mieux vaut que nous ne connaissions pas son apparence physique, puisqu'Il appartient maintenant au monde entier.

Quelle que soit l'image que nous nous fassions de Jésus-Christ, son portrait le plus fort reste celui que présente la Bible. C'est l'image d'un homme qui est Dieu. L'affirmation de la divinité de Jésus-Christ est le pivot de toute croyance. C'est le fondement du christianisme. Puisque le moyen le plus rapide de détruire un bâtiment consiste à en détruire ou à en affaiblir la base, les hommes ont toujours essayé de nier ou d'ignorer les déclarations du Christ, ou s'en sont moqués. Cependant, notre espoir de rédemption du péché repose sur la divinité du Christ.

Qui est-Il?

## Jésus est unique à tous les égards

Nous savons que Jésus a existé. Dans l'histoire, Il était homme, et Il le restera pour l'éternité. Tacite, sans doute le plus grand historien latin, né au Ier siècle, parle de Jésus. Flavius Josèphe, général et historien juif, né vers l'an 37 de notre ère, parle de la crucifixion de Jésus. Un spécialiste actuel de la Bible écrit que «la dernière édition de l'*Encyclopædia Britannica* utilise 20 000 mots pour décrire cette personne, Jésus. Sa description occupe plus de pages que celles d'Aristote, de Cicéron, d'Alexandre, de Jules César, de Bouddha, de Confucius, de Mahomet ou de Napoléon Bonaparte[1]».

Rousseau a dit qu'il faudrait un plus grand miracle pour inventer une vie comme celle du Christ que pour la vivre.

Jésus a vécu, a prodigué son enseignement et est mort sur cette terre, dans une petite région du Moyen-Orient, dont la plus grande partie se trouve aujourd'hui dans l'État d'Israël. C'est là un fait historique confirmé.

## Son intelligence

Au fil des siècles, beaucoup d'hommes ont été admirés et célébrés en raison de leurs accomplissements intellectuels, mais aucun homme n'a jamais eu l'intelligence pénétrante de Jésus. En tout temps, fatigué par un long voyage ou accablé par ses ennemis, Jésus pouvait confondre certains des plus grands esprits de son époque.

Il a vécu trois années de rencontres intellectuelles avec les chefs religieux de son époque. Ces hommes tentaient souvent de le mettre dans l'embarras en Lui posant des questions difficiles. Un jour qu'il prodiguait son enseignement dans le temple, les grands prêtres et les anciens du peuple se sont approchés de Lui et Lui ont demandé: «Par quelle autorité fais-tu cela? Et qui t'a donné cette autorité?» (Matthieu 21,23)

C'étaient des hommes qui exerçaient un contrôle sur tout l'enseignement religieux, et ce Jésus, fils d'un charpentier de Nazareth, qui n'était pas leur disciple, empiétait sur leur territoire. Imaginez ce qui arriverait dans l'un de nos prestigieux séminaires si le concierge décidait tout à coup de monter sur le podium pour enseigner aux étudiants!

Jésus a répondu à la question des autorités religieuses par une autre question: «De mon côté, je vais vous poser une question, une seule; si vous y répondez, moi aussi je vous dirai par quelle autorité je fais cela. Le baptême de Jean, d'où était-il? Du Ciel ou des hommes?»

Jean-Baptiste n'avait pas été ordonné par eux non plus, et il avait incité ses disciples à obéir à Jésus. Les chefs religieux étaient confondus. Ils savaient que, s'ils répondaient «Du Ciel», Jésus leur demanderait: «Alors, pourquoi n'avez-vous pas cru en lui?» En revanche, s'ils répondaient «Des hommes», ils craignaient la foule, car tous tenaient Jean-Baptiste pour un prophète. Ils se sont donc contentés de répondre: «Nous ne savons pas.»

Jésus leur a alors dit: «Moi non plus, je ne vous dis pas par quelle autorité je fais cela.» (Matthieu 21,27)

Jésus possédait une agilité mentale qui étonne les érudits depuis deux mille ans.

## Sa franchise

En toutes circonstances, Jésus a fait preuve d'ouverture et de franchise. Les membres de la hiérarchie religieuse établie de son époque suivaient méticuleusement certains rites de purification de la vaisselle dans laquelle ils mangeaient tous les jours. Se servant de cette pratique comme d'un exemple, Jésus a dit: «Malheur à vous, scribes et Pharisiens hypocrites, qui purifiez l'extérieur de la coupe et de l'écuelle, quand l'intérieur en est rempli par rapine et intempérance! Pharisien aveugle! purifie d'abord l'intérieur de la coupe et de l'écuelle, afin que l'extérieur aussi devienne pur.» (Matthieu 23,25-26)

Cette accusation s'applique tout autant aujourd'hui qu'à cette époque. La vraie croyance en Dieu est intérieure et relève de l'attitude et de l'engagement personnels, non pas de la stricte observance de rites et de règles. Aujourd'hui, la plupart d'entre nous hésiteraient à parler avec une telle franchise aux chefs de l'Église. Jésus, toutefois, était un homme franc, hardi et honnête en toute situation.

## *Son ouverture*

Jésus était capable de comprendre tous les hommes, quel que soit leur rang dans la société. Un jour, il mangeait avec Simon, l'un des chefs religieux les plus éminents. Durant le repas, une prostituée repentante est entrée dans la salle où avait lieu le repas et s'est mise à laver les pieds de Jésus avec ses larmes et à les essuyer avec ses cheveux. Simon, outré, a regardé Jésus; l'ombre du doute se lisait sur son visage. Il s'est dit: «Si cet homme était prophète, il saurait qui est cette femme qui le touche, et ce qu'elle est: une pécheresse.»

Jésus, connaissant les pensées de Simon, lui a alors raconté cette parabole: «Un créancier avait deux débiteurs; l'un devait cinq cents deniers, l'autre cinquante [le denier équivalait au salaire d'une journée de travail]. Comme ils n'avaient pas de quoi rembourser, il fit grâce à tous deux. Lequel des deux l'en aimera le plus?»

Simon a dû s'interroger sur le sens de cette histoire. Il a répondu: «Celui-là, je pense, auquel il a fait grâce de plus.»

Jésus a dit à Simon qu'il avait bien répondu. Puis Il lui a rappelé qu'à son arrivée chez lui, Simon avait négligé les courtoisies d'usage. «Tu ne m'as pas versé d'eau sur les pieds; elle, au contraire, m'a arrosé les pieds de ses larmes et les a essuyés avec ses cheveux. Tu ne m'as pas donné de baiser; elle, au contraire, depuis que je suis entré, n'a cessé de me couvrir les pieds de baisers.»

Jésus s'est tourné vers la femme et lui a dit: «Tes péchés sont remis.»

Les autres convives, étonnés, ont demandé: «Qui est celui-là qui va jusqu'à remettre les péchés?» (Luc 7,49)

Nous savons que Jésus a souvent mangé en compagnie de l'élite, mais qu'Il prenait la défense des réprouvés.

## *Son esprit miséricordieux*

Les adversaires de Jésus étaient puissants et tenaces. Ils se sont moqués de Lui, ils ont comploté contre Lui et, finalement, ils ont manipulé les foules pour qu'elles appuient sa mort par crucifixion.

Cloué sur la croix, répandant son sang, endurant la douleur et le soleil de plomb, il a subi les railleries de plusieurs: «Sauve-toi toi-même en descendant de la croix!» (Marc 15,30)

Malgré les circonstances si cruelles, Jésus a manifesté une qualité qui dépasse notre compréhension. Il a parlé à Dieu, son père: «Père, pardonne-leur; ils ne savent pas ce qu'ils font.» (Luc 23,34)

Combien de simples mortels pourraient pardonner à leurs bourreaux dans une telle situation?

## Son autorité morale

Les images qui représentent Jésus sous les traits vagues d'un homme sans couleur ne sont pas fidèles à la vérité de sa force et de son autorité morale. À la fin de sa vie, l'ordre établi religieux s'était allié à l'ordre politique pour mettre fin à son œuvre en envoyant des soldats le saisir. Les fiers-à-bras se sont approchés de Lui, mais ils se sont arrêtés pour L'écouter. Ils sont retournés voir leurs chefs sans Lui.

«Pourquoi ne l'avez-vous pas amené?» leur a-t-on demandé.

Les gardes étonnés ont répondu: «Jamais homme n'a parlé comme cela!» (Jean 7,45-46) Ils venaient de faire la même expérience que les foules de gens ordinaires avaient faite avant eux. Selon Matthieu, «les foules étaient frappées de son enseignement: car il enseignait en homme qui a autorité, et non pas comme leurs scribes». (Matthieu 7,28-29)

Jésus-Christ menait le genre de vie qu'Il prêchait. Nous connaissons beaucoup d'hommes qui sont nobles, intelligents, francs, ouverts et qui parlent avec autorité. Mais ce n'est qu'en Jésus que nous reconnaissons les caractéristiques humaines que nous nous attendrions à voir Dieu manifester s'Il se faisait homme.

La revendication par Jésus de sa divinité est pleinement justifiée par sa personne. Il a été unique dans l'histoire.

## Plus qu'un simple homme

Si c'était là tout ce que nous avons à dire sur Jésus-Christ, Il n'aurait pas beaucoup plus à offrir que bien des grands personnages de l'histoire. Cependant, ce qui rend le Christ unique, c'est que durant sa vie sur terre Il a présenté tous les attributs ou caractéristiques de la divinité.

Qu'est-ce qu'un attribut? Un spécialiste de la Bible propose cette simple définition: «Les attributs de Dieu sont ces traits distinctifs de la nature de Dieu qui sont inséparables de la notion de divinité et qui constituent le fondement de ses diverses manifestations devant ses créatures[2].»

Jésus-Christ a été la manifestation suprême de Dieu. «Car c'était Dieu qui dans le Christ se réconciliait le monde.» (2 Corinthiens 5,19)

Le Christ n'était pas un homme ordinaire. Plusieurs siècles avant sa naissance, le prophète Isaïe a dit: «Voici, la vierge est enceinte, elle va enfanter un fils.» (Isaïe 7,14). Aucun autre homme, dans l'histoire, n'a pu dire que sa mère était vierge. Les Écritures nous enseignent aussi que le Christ n'a pas eu de père humain. S'il en avait eu un, Jésus aurait hérité des péchés et des déficiences propres aux hommes, puisque «ce qui est né de la chair est chair». (Jean 3,6) Puisque Jésus n'a pas été conçu de manière naturelle, mais par l'intervention du Saint-Esprit, Il est le seul homme qui soit issu, pur, de la main même de Dieu. Il pouvait se lever et demander à ses contemporains: «Qui d'entre vous me convaincra de péché?» (Jean 8,46) Il était le seul homme depuis Adam à pouvoir dire: «Je suis pur.»

Si nous sondons honnêtement notre esprit, il nous faut reconnaître l'existence de mystères à propos de l'incarnation que nul d'entre nous ne pourra jamais comprendre. En fait, Paul qualifie de «mystère» l'incarnation de Dieu. (1 Timothée 3,16)

Paul explique l'Homme qui est Dieu dans une autre épître: «Ayez entre vous les mêmes sentiments qui sont dans le Christ Jésus: Lui, de condition divine, ne retint pas jalousement le rang qui l'égalait à Dieu. Mais il s'anéantit lui-même, prenant condition d'esclave, et devenant semblable aux hommes.» (Philippiens 2,5-7)

Premièrement, *Dieu est saint*. C'est la caractéristique de Jésus sur laquelle repose toute la foi chrétienne. Qu'entend-on par «sainteté»? Ce terme s'applique à des personnes, à des endroits et, quelquefois, à des circonstances. Cependant, ce mot courant si souvent mal employé et mal compris, signifie «pureté évidente en soi». Aucun être humain n'a jamais pu ni ne pourra jamais posséder la sainteté pure et la perfection morale.

Dans l'Ancien Testament, on dit que Dieu «est justice en toutes ses voies» (Psaumes 145,17), et le prophète Isaïe, dans sa vision de Dieu, déclare «Saint, saint, saint est Yahvé Sabaot». (Isaïe 6,3) Dans le Nouveau Testament, cet attribut unique est possédé par Jésus-Christ, le saint enfant, l'homme sans péché. Ainsi, Jésus-Christ possédait une caractéristique que seul Dieu pouvait posséder.

Deuxièmement, *Dieu est juste*. Pour rester saint, Dieu doit exercer la justice. Puisque tout péché est une offense à Dieu, le principe de justice divine est essentiel à l'ordre de l'univers, tout comme une nation doit avoir certaines lois et certains codes. Mais, contrairement au gouvernement humain, qui exerce la justice d'une façon qui convient au chef de l'État ou du gouvernement, la justice de Dieu est pure; elle ne se trompe jamais.

*Jésus-Christ était juste*. Durant sa vie terrestre, il a présenté cette caractéristique quand il a chassé les voleurs du temple. On dit aussi qu'Il était fidèle et juste en nous pardonnant nos péchés. Sa mort sur la croix, c'est la mort du «Juste» pour le pécheur.

Troisièmement, *Dieu est miséricorde*. Cette caractéristique divine a été évidente durant toute la vie du Christ. Jésus a défendu la femme adultère que ses accusateurs avait condamnée à être lapidée: «Que celui qui n'a jamais péché lui lance la première pierre.» Ses accusateurs se sont retirés, confondus. Jésus-Christ, manifestant la miséricorde de Dieu, a dit à la pécheresse: «Va et ne pèche plus.» L'amour, la miséricorde et la compassion de Jésus apparaissent durant tout son ministère. Un jour qu'Il faisait la lecture à la synagogue de sa ville natale, Nazareth, Jésus a cité le prophète Isaïe: «L'Esprit du Seigneur est sur moi, parce qu'il m'a consacré par l'onction, pour porter la bonne nouvelle aux pauvres. Il m'a envoyé annoncer aux captifs la délivrance et aux aveugles le retour à la vue, renvoyer en liberté les opprimés, proclamer une année de grâce du Seigneur.» (Luc 4,18)

Quatrièmement, *Dieu est amour*. Les premiers chants qu'apprennent les enfants à l'école du dimanche, quand ils sont à peine capables de fredonner un air, parlent de l'amour de Dieu. L'enfant peut comprendre l'amour de Dieu, mais l'adulte n'arrive pas à en saisir la profondeur infinie. L'amour de Dieu est le résultat continu de sa sainteté, de sa justice et de sa miséricorde.

En tant que Dieu saint, il abhorre le péché et ne peut entrer en communion avec lui. Puisque la Bible nous enseigne que l'âme qui pèche doit mourir, il est évident que le péché entraîne la séparation de Dieu. Cependant, Dieu est aussi miséricorde. Il veut sauver le pécheur et doit alors fournir un substitut qui satisfera sa justice divine. Il a fourni ce substitut en la personne de Jésus-Christ. Dieu est amour: «Car Dieu a tant aimé le monde qu'il a donné son Fils unique, afin que quiconque croit en lui ne se perde pas, mais ait la vie éternelle.» (Jean 3,16)

## Dieu et Jésus-Christ: Un

Cinquièmement, Jésus-Christ possède les trois grands «omni» de Dieu. Ce préfixe signifie «tout». *Omnipotent,* par exemple, signifie «qui est tout-puissant, qui dispose d'une puissance absolue». L'Omnipotent, c'est Dieu.

Durant sa vie terrestre, Jésus-Christ a opéré beaucoup de miracles. Il a ressuscité des morts; Il a multiplié les pains et les poissons pour nourrir les foules; Il a guéri des malades et des infirmes. Pourquoi serait-ce surprenant? Jésus a dit: «Tout pouvoir m'a été donné au ciel et sur la terre.» (Matthieu 28,18) Venant d'un homme ordinaire, ce serait là une prétention surprenante. Seul Dieu peut prétendre cela.

Jésus-Christ était *omniscient*: il savait toutes choses, alors et maintenant. Les Écritures disent «Et, Jésus connaissant leurs sentiments [...] (Matthieu 9,4); «[...] il les connaissait tous [...] lui-même connaissait ce qu'il y avait dans l'homme» (Jean 2,24-25); «[...] dans lequel se trouvent, cachés, tous les trésors de la sagesse et de la connaissance!» (Colossiens 2,3)

Connaissez-vous quelqu'un de votre entourage qui sait tout ou un personnage historique qui savait tout? Avez-vous jamais entendu parler de quelqu'un qui soit capable de lire, sans se tromper, à l'intérieur des hommes? Seul le Dieu tout-puissant sait tout, et Jésus-Christ était omniscient.

Le concept de l'*omniprésence* est sans doute celui qui est le plus difficile à saisir pour l'homme. Comment Dieu peut-Il être partout à la fois? De notre point de vue, tout est prisonnier du temps et de l'espace. Nous sommes des créatures physiques qui ne peuvent se trouver qu'à un seul endroit à la fois. Combien de fois disons-nous, exaspérés: «Je ne peux pas être partout à la fois!» Dieu transcende temps et espace; Jésus-Christ aussi. Il existait avant le commencement des temps: «Avant qu'Abraham existât, Je Suis.» (Jean 8,58) «Il est avant toute chose.» (Colossiens 1,17)

Jésus n'est pas prisonnier de la terre. Il a dit: «Partout où vous vous rassemblerez en mon nom, je serai parmi vous.» Il peut être parmi les croyants rassemblés dans une hutte de la Nouvelle-Guinée ou parmi les convives d'un dîner d'affaires au Texas. Il peut être à la table d'une famille ordinaire comme aux banquets des rois. Jésus-Christ est omniprésent.

Jésus-Christ a prétendu être Dieu. Il a dit «Moi et le Père, nous sommes un» (Jean 10,30); «Et qui me voit voit celui qui m'a envoyé.»

(Jean 12,45) Il a été très clair quant à son identité quand il a parlé aux chefs religieux de son époque: «Ces œuvres mêmes que je fais me rendent témoignage que le Père m'envoie. Et le Père qui m'a envoyé, lui, me rend témoignage.» Les membres de la hiérarchie religieuse locale Lui ont alors demandé: «Où est ton père?» Jésus a répondu: «Vous ne me connaissez, ni moi ni mon Père; si vous me connaissiez, vous connaîtriez aussi mon Père.»

Le Christ dit qu'Il est «envoyé par Dieu», qu'Il n'est «pas de ce monde». Il déclare qu'Il est «la lumière du monde», «le chemin, la vérité, la vie», et «la résurrection et la vie». Il promet la vie éternelle à quiconque croit qu'Il est le Seigneur et le Sauveur.

Connaissant ce que Jésus-Christ a prétendu, vous devez maintenant prendre une décision capitale:

## Comment traiterez-vous Jésus?

Question: Selon vous, qui est Jésus-Christ? S'Il n'est pas Celui qu'Il a prétendu être, c'est un trompeur et un égotiste. Nous ne pouvons pas nous contenter d'une réponse neutre comme «C'était un homme bon» ou, forme plus moderne d'adulation, «C'était une *superstar*». Lui-même élimine toute réponse neutre. Ou bien nous décidons qu'Il est menteur ou lunatique, ou bien nous sommes obligés de déclarer qu'Il est le Seigneur.

Face aux preuves apportées par les Écritures et à la réalité physique de la résurrection, on ne peut arriver qu'à une seule conclusion: Il est Dieu, digne de notre adoration et de notre confiance. Quand je décide d'être chrétien, je décide qui est Jésus-Christ. La confiance en Lui fait que je crois en Lui et que je suis vraiment vivant!

## Sortir de son désert privé

On nous a raconté l'histoire d'un jeune couple séparé durant la Seconde Guerre mondiale. Pendant l'absence du père, la mère a donné naissance à leur enfant. Les mois passaient; tout ce temps, la mère gardait la photo du père bien en vue sur le bureau, pour que la petite grandisse en voyant son père. Elle a appris à dire «Papa» et à associer ce nom à l'homme dont elle voyait la photo. Le père est finalement rentré de la guerre. Toute la famille s'était réunie pour observer les réactions

de la fillette quand elle verrait son père pour la première fois. Imaginez la déception de tous quand elle a rejeté l'homme. En voyant son
père, la fillette a couru vers la photo en criant: «C'est lui, mon papa!»
Jour après jour, la famille refoulait ses larmes chaque fois que le père,
à genoux, essayait de son mieux de se rapprocher de son enfant, en lui
expliquant, aussi simplement qu'il le pouvait, qu'il était son père.
Mais chaque fois, elle faisait signe que non et courait vers la photo en
criant: «C'est lui, mon papa!» Cette situation a duré pendant un certain temps. Un jour, la petite fille, qui s'était élancée maintes fois vers
la photo, est revenue près de son père et a observé attentivement son
visage. Puis, elle est retournée examiner la photo. La famille retenait
son souffle. Après plusieurs allers-retours, la fillette a souri en s'excla-
mant: «Les deux sont le même papa!»

C. S. Lewis raconte son expérience: «Imaginez-moi, seul dans
ma chambre à Magdalen, nuit après nuit, sentant, chaque fois que
mon esprit se détachait de mon travail ne serait-ce qu'une seconde,
l'approche constante et déterminée de Celui que je souhaitais par-
dessus tout ne pas rencontrer. Ce que j'avais tellement craint se produisait finalement. Durant le semestre de 1929 que j'ai passé à
Trinity, j'ai cédé; j'ai reconnu que Dieu était Dieu; je me suis agenouillé et j'ai prié. Cette nuit-là, j'étais peut-être le converti le plus
abattu et le plus rébarbatif de toute l'Angleterre. Je ne voyais pas
alors ce qui est aujourd'hui la chose la plus aveuglante d'évidence:
l'humilité divine qui accueille un converti même dans ces conditions. Au moins, le fils prodigue est rentré au bercail de son plein
gré. Mais qui peut adorer comme il convient cet Amour qui ouvre
les bras à un enfant prodigue qui se débat, qui lutte pour ne pas rentrer au bercail et qui regarde dans toutes les directions pour trouver
un moyen de s'échapper? Les mots *compelle intrare* — oblige-les à
rentrer — ont été si galvaudés par des hommes méchants que nous
tremblons rien qu'à les évoquer. Mais, quand ils sont bien compris,
ils sondent les profondeurs de la miséricorde divine. La dureté de
Dieu est plus douce que la bonté des hommes et la coercition divine
est notre libération[3].»

Un professeur a dit que, en quarante ans d'enseignement à l'université, on ne lui a jamais demandé: «Êtes-vous chrétien?» Quand il
était encore aux études, il avait lu des livres qui démythifiaient les
miracles du Christ. Il se considérait comme un homme bien informé et
très mûr sur ce sujet. Il refusait la divinité de Jésus-Christ tout en
conservant une vague croyance en Dieu.

Dans la réalité, toutefois, il disait: «De façon générale, j'ai choisi de L'ignorer durant les années qui ont suivi mes études. C'est ce qui a ouvert le chemin vers mon propre désert. J'ai essayé de satisfaire mes besoins intérieurs en lisant et en étudiant la science et la littérature. Ces études ont souvent confirmé mon opinion selon laquelle je pouvais laisser le Christ hors de ma vie, car Il n'était qu'un autre prophète.»

Un jour, un étudiant est entré dans le «désert privé» de ce professeur pour l'inviter à assister à une allocution sur la divinité du Christ que l'on prononçait à l'université. Le professeur a raconté plus tard: «J'ai été mis devant l'aspect positif de la divinité du Christ pour la première fois depuis mon enfance. Je ne m'attendais pas à perdre mon incrédulité relativement à la divinité du Christ.

«Ce soir-là, quand j'ai écouté l'allocution, à la fois plein de scepticisme et d'espoir, je dois reconnaître que je mourais d'envie que l'on me convainque. L'orateur avait à peine terminé la première partie de son allocution que j'étais déjà convaincu de la divinité du Christ. L'hypothèse de toute une vie, qui voulait que le Christ n'ait été qu'un autre maître doué, a été détruite. Le renversement de mes convictions a été simple.»

Je dois dire que je suis tout à fait d'accord avec ce professeur. C'est simple. Jésus est Dieu. Notre vie terrestre et notre éternité dépendent du fait que nous croyons ou non à cette vérité.

# ◆ CHAPITRE 8 ◆

# Qu'est-il arrivé sur la croix?

Que ce soit dans les bijouteries de Fifth Avenue ou dans celles de l'aéroport de Rome, partout, un bijou scintille aux étalages: la croix. On brode ce symbole sur le devant ou sur l'arrière des soutanes. En bois, en bronze, en béton ou en laiton, la croix orne les églises. En décembre, de nombreuses tours à bureaux laissent certaines fenêtres éclairées la nuit, dessinant ainsi une croix visible à des kilomètres.

Que signifie la croix de Jésus? Si nous arrêtions les gens dans la rue pour leur poser cette question, ils nous répondraient peut-être: «C'est le symbole du christianisme.» Ou: «Jésus est un martyr qui a été cloué sur la croix.» D'autres encore répondraient qu'il s'agit d'un mythe. Les étudiants en histoire diraient peut-être qu'elle était une manifestation de la justice romaine.

Le poète Thomas Victoria a répondu lui aussi à cette question. Il a essayé d'imaginer ce que Jésus dirait de la croix. Il a représenté Jésus sur la croix, entouré d'hommes déterminés à le tuer.

> Jésus les regarde et leur dit:
> Oh! si doux le bois de la croix
> Et les clous dans mes bras,
> Qui me font mourir pour vous.

Cette vision tout à fait personnelle de la croix correspond à ce que l'apôtre Paul a dit: «À peine en effet voudrait-on mourir pour un homme juste; pour un homme de bien, oui peut-être osera-t-on mourir; — mais la preuve que Dieu nous aime, c'est que le Christ, *alors que nous étions encore pécheurs*, est mort pour nous.» (Romains 5,7-8. Les italiques sont de moi.)

Paul a résumé le cœur de tout son ministère dans la grande ville commerciale de Corinthe quand il a dit: «Non, je n'ai rien voulu savoir parmi vous, sinon Jésus-Christ, et Jésus-Christ crucifié.» (1 Corinthiens 2,2)

L'homme de la rue, à Corinthe, aurait répondu à une question sur la croix de la même façon que l'homme de la rue en Amérique, en Europe, en Asie ou en Afrique. Les Corinthiens vivaient dans une ville reconnue pour sa dépravation. C'était le genre de ville dans laquelle personne ne voudrait élever ses enfants. Les Corinthiens étaient des gens aux mœurs dissolues, qui trouvaient l'enseignement de la croix ridicule, fou et même absurde. Paul, commentant cette opinion, a dit: «Car ce qui est folie de Dieu est plus sage que les hommes, et ce qui est faiblesse de Dieu est plus fort que les hommes.» (1 Corinthiens 1,25)

À Corinthe, la croix du Christ était une pierre d'achoppement pour les Juifs et une absurdité pour les Grecs philosophes. Les philosophes croyaient pouvoir élucider les mystères divins, parce qu'ils avaient une confiance excessive dans leur propre acuité mentale. Cependant, Paul a dit que l'homme naturel (c'est-à-dire celui qui n'est pas habité par l'Esprit de Dieu) ne peut comprendre les choses de Dieu. Paul voulait dire que le péché a déformé notre compréhension de la vérité de telle sorte que nous sommes incapables de reconnaître la vérité sur Dieu.

Pour que l'enseignement de la Bible au sujet de la croix puisse signifier quelque chose pour nous, l'Esprit de Dieu doit d'abord nous ouvrir l'esprit. Les Écritures nous enseignent qu'un voile couvre notre esprit depuis notre séparation d'avec Dieu.

Pour quelqu'un de l'«extérieur», la croix doit sembler ridicule. Mais pour ceux qui ont fait l'expérience de son pouvoir transformateur, elle est devenue le seul remède aux maux de l'individu et à ceux du monde.

Malgré ce pouvoir transformateur, l'évangile sur le Christ crucifié reste encore sans importance pour des millions d'êtres humains. C'est cette non-reconnaissance de Dieu dont parle Paul: «Où est-il, le sage? Où est-il, l'homme cultivé? Où est-il, le raisonneur de ce siècle, Dieu n'a-t-il pas frappé de folie la sagesse du monde? Puisqu'en effet le monde, par le moyen de la sagesse, n'a pas reconnu Dieu dans la sagesse de Dieu, c'est par la folie du message qu'il a plu à Dieu de sauver les croyants.» (1 Corinthiens 1,20-21)

Comment peut-on traiter de folie le message de la croix? Avons-nous réussi dans notre vie personnelle, dans notre famille et dans notre société au point de prétendre à la sagesse? Le moment est venu d'abandonner cette prétention intellectuelle et de reconnaître que nous sommes déconcertés par la vie.

Dieu réussit à changer les hommes et les femmes grâce à un message centré sur la croix. Il reconnaît notre maladie et prodigue le remède qui convient. Il nous offre sa sagesse en remplacement de nos échecs.

Dans notre vie quotidienne, nous tirons parti de nombreuses ressources que nous ne comprenons pas. Nous ouvrons le robinet de la cuisine, sans nous arrêter à penser à la source de cette eau ou à la façon dont elle est acheminée dans les tuyaux. L'ordonnance du médecin? Nous sommes incapables de la lire ou de l'analyser. Nous payons un prix que nous trouvons peut-être exorbitant, parce que nous nous en remettons au savoir et à l'autorité du médecin pour nous guérir.

De la même façon, nous n'arrivons peut-être pas à saisir tout le sens de la croix, mais nous pouvons en profiter parce que la Bible nous donne une réponse autorisée au problème du péché.

## Qu'est-il arrivé sur la croix?

La croix est le point central de la vie et du ministère de Jésus-Christ. Certains pensent que Dieu ne voulait pas que le Christ meure, mais qu'Il a dû modifier ses plans à cause de cette mort. Les Écritures, toutefois, sont très claires à ce sujet: la pensée de la croix n'est pas venue à l'esprit de Dieu après coup. L'Homme a été livré «selon le dessein bien arrêté et la prescience de Dieu». (Actes 2,23)

Dieu a conçu la croix pour vaincre Satan qui, par la tromperie, avait usurpé sa place sur la terre. Quand, avec toutes ses promesses, Satan a éloigné l'homme de Dieu au jardin d'Éden, ce n'est pas seulement Adam et Ève qu'il a trompés. Mystérieusement, il a commencé à exercer une espèce de pseudo-souveraineté sur l'homme. Avec une violence arrogante, Satan a déchaîné toutes ses forces pour mettre fin au ministère du Christ en faisant en sorte qu'Il soit assassiné. Mais Dieu est intervenu, et Satan est tombé dans son propre piège. Il n'avait pas compris que Dieu aimait le monde si intensément qu'Il était prêt à laisser son propre Fils subir les pires œuvres de Satan. Satan s'était trompé. Il ne comprenait pas la grandeur de l'amour de Dieu et la sagesse de son plan.

Le pouvoir de Satan a été ébranlé sur la croix. «C'est pour détruire les œuvres du diable que le Fils de Dieu est apparu.» (1 Jean 3,8)

Quel dur coup pour Satan! Même s'il est encore un simulateur rusé, sa destruction a été assurée par la victoire du Christ sur la croix. «[...] afin de réduire à l'impuissance, par sa mort, celui qui a la puissance de la mort, c'est-à-dire le diable.» (Hébreux 2,14) Ce qui a semblé être la plus cuisante des défaites de l'histoire s'est transformé en une victoire écrasante.

Par la croix, Dieu n'a pas simplement supplanté Satan, mais Il s'est rapproché de l'homme. Le Christ a délivré les esclaves de Satan et les a réconciliés avec Lui. La Bible décrit ainsi ce plan divin: «Ce dont nous parlons, au contraire, c'est d'une sagesse de Dieu, mystérieuse, demeurée cachée, celle que, dès avant les siècles, Dieu a par avance destinée pour notre gloire, celle qu'aucun des princes de ce monde n'a connue — s'ils l'avaient connue, en effet, ils n'auraient pas crucifié le Seigneur de la gloire.» (1 Corinthiens 2,7-8)

La croix a révélé un mystère éternel, «le mystère enveloppé de silence aux siècles éternels, mais aujourd'hui manifesté». (Romains 16,25-26)

S'il était possible à un homme, Adam, de mener l'humanité à sa perte, pourquoi ne serait-il pas possible à un autre de la racheter? La Bible dit: «De même en effet que tous meurent en Adam, ainsi tous revivront dans le Christ.» (1 Corinthiens 15,22)

## Le prix de la croix pour Dieu

Pour nous, humains, remplis de chagrins, de désirs et d'émotions, il est presque impossible d'imaginer ce qu'il en a coûté à Dieu pour permettre que son Fils unique meure sur la croix. S'Il avait pu pardonner nos péchés autrement, si les problèmes du monde avaient pu être réglés d'une autre façon, Dieu n'aurait pas permis que Jésus meure.

Dans le jardin de Gethsémani, la veille du Calvaire, Jésus a prié: «Mon Père, s'il est possible, que cette coupe passe loin de moi.» (Matthieu 26,39) En d'autres mots, s'il existe une autre façon de racheter la race humaine, mon Dieu, trouve-la! Mais il n'y avait pas d'autre façon. Et Jésus a prié encore: «Cependant, non pas comme je veux, mais comme tu veux.» (Matthieu 26,39)

Il est important de comprendre que, lorsque Jésus faisait cette prière, Il ne pensait pas seulement au simple fait de mourir. Sa mort, tout comme sa vie, a été unique. Ce qui Lui est arrivé quand Il est mort n'est jamais arrivé et n'arrivera jamais à personne d'autre. Pour le comprendre, il nous faut examiner la révélation de Dieu antérieure au ministère terrestre du Christ, dans l'Ancien Testament.

La religion juive orthodoxe était fondée sur la grâce de Dieu. Dieu a fait une alliance avec Israël, selon laquelle Israël était «un peuple consacré à Yahvé», que Yahvé avait «choisi pour son peuple à lui, parmi toutes les nations qui sont sur la terre». (Deutéronome 7,6) Dans ce genre de relation, comment ce peuple devait-il exprimer son amour pour Lui? En faisant sa volonté, comme elle est décrite dans la loi de l'Ancien Testament. Mais le peuple était incapable de respecter parfaitement la loi; et quand il l'a transgressée, il a péché, «car quiconque commet le péché commet aussi l'iniquité». (1 Jean 3,4)

Les sacrifices offerts au temple étaient destinés à montrer à Dieu que la culpabilité d'un homme et le châtiment pouvaient passer de lui à un autre. Dans l'Ancien Testament, l'animal payait symboliquement le prix du péché et était sacrifié.

Pourquoi Dieu a-t-Il donné sa loi s'Il savait que l'homme était incapable d'y obéir? La Bible nous enseigne que la loi nous a été donnée comme miroir: nous regardons la loi et nous voyons ce qu'est la vraie justice. Les Dix Commandements décrivent la vie qui plaît à Dieu. Si nous sommes éloignés de Dieu à cause du péché, la loi révèle notre péché et nous met devant notre vraie condition spirituelle. Le miroir ne nous renvoie pas une image très belle!

Il fallait que le péché soit expié; c'est pourquoi, dès le commencement, Dieu a institué le système de sacrifices grâce auquel l'homme pouvait enfin être amené à une relation juste avec Dieu. À l'époque de l'Ancien Testament, ceux qui avaient péché sacrifiaient des animaux sur les autels, en les offrant à Dieu. Ces sacrifices annonçaient le Grand Sacrifice à venir.

Dans le Lévitique, Moïse décrit une situation dans laquelle un chef doit offrir un sacrifice. Nous pouvons diviser la description en sept étapes:

1. «À supposer qu'un chef pèche…
2. il apportera comme offrande un bouc,
3. un mâle sans défaut.
4. Il posera la main sur la tête du bouc
5. et l'immolera […] C'est un sacrifice pour le péché:
6. Le prêtre prendra à son doigt un peu de sang de la victime et le déposera sur les cornes de l'autel […]
7. Le prêtre fera ainsi sur ce chef le rite d'expiation pour le délivrer de son péché, et il lui sera pardonné. (Lévitique 4,22-26)

Observez l'enchaînement. L'homme a péché et veut le pardon de Dieu. Il apporte au prêtre un animal, un spécimen parfait, et il pose la main sur sa tête. Symboliquement, c'est à ce moment-là que sa culpabilité et le châtiment qu'il mérite pour son péché passent à l'animal. Il sacrifie ensuite l'animal, et le prêtre met un peu de sang sur l'autel.

Qu'est-ce que cela signifie? C'est l'expiation du péché de l'homme. Au lieu que l'homme soit séparé de Dieu, le péché est expié et l'homme est pardonné.

Les sacrifices étaient des symboles qui montraient aux pécheurs qu'il y avait espoir, puisque le châtiment du péché pouvait être transféré à un animal. Cependant, ce n'étaient que des symboles, puisque «du sang de taureaux et de boucs est impuissant à enlever des péchés». (Hébreux 10,4) Mais Dieu pouvait pardonner au pécheur à la lumière de ce qu'Il ferait un jour au Calvaire. Jésus, «ayant offert pour les péchés un unique sacrifice, il s'est assis pour toujours à la droite de Dieu». (Hébreux 10,12)

Dieu n'a pas institué les sacrifices parce qu'Il avait soif de sang ou parce qu'Il était injuste, mais parce que, premièrement, Il voulait attirer l'attention de l'homme sur l'horreur du péché et, deuxièmement, sur la croix où Dieu Lui-même satisferait pour toujours les exigences de sa justice. «Le Christ […] entra une fois pour toutes dans le sanctuaire, non pas avec du sang de boucs et de jeunes taureaux, mais avec son propre sang, nous ayant acquis une rédemption éternelle.» (Hébreux 9,12)

Le Christ, en expiant le péché, s'est mis à la place de tous les pécheurs. Si Dieu avait pardonné le péché par une espèce de décret divin écrit dans le ciel, sans expiation — sans la honte, l'agonie, les souffrances et la mort du Christ —, on aurait pu croire qu'Il était indifférent au péché. Par conséquent, l'homme aurait continué de pécher, et la terre serait devenue un véritable enfer.

Par la souffrance de Jésus, Dieu participe à l'expiation. Le péché a transpercé le cœur de Dieu. Dieu a senti chaque clou et chaque coup de lance. Dieu a senti le soleil brûlant, le mépris de ses tortionnaires, les coups cruels. La croix symbolise l'amour de Dieu qui souffre et qui porte la culpabilité du péché de l'homme. Seul cet amour peut toucher le cœur du pécheur et l'amener à se repentir pour être sauvé. «Celui [le Christ] qui n'avait pas connu le péché, Il [Dieu] l'a fait péché pour nous.» (2 Corinthiens 5,21)

## Le sens de la communion

Nombreux sont ceux qui ne comprennent pas la communion. À leurs yeux, la communion est dénuée de signification mystique. Pourtant, la croix lui donne tout son sens. À la Dernière Cène, Jésus Se compare à l'Agneau offert en sacrifice et dit à ses disciples et à tous ceux qui veulent croire en Lui: «Prenez, mangez, ceci est mon corps.» C'est le symbole de ce qu'Il allait faire sur la croix. Quand Il donne la coupe à ses disciples, Il insiste sur le fait que son sang sera répandu en rémission des péchés. Le pain et le vin symbolisent l'expiation et le pardon. Nous pouvons les voir, les toucher, les goûter. Le pain est dans nos mains, mais le Christ est dans nos cœurs. La coupe est dans nos mains, mais les avantages du Pardon, mérité par son sang, inondent nos cœurs.

John Duncan, de New College, à Édimbourg, était l'un des plus célèbres théologiens écossais. Un jour que la communion était distribuée dans une église d'Écosse, une adolescente a détourné la tête pour ne pas boire le vin. Elle a fait signe à l'officiant de retirer la coupe. John Duncan a alors posé la main sur son épaule et lui a dit tendrement: «Bois, fillette, c'est pour les pécheurs.»

## Comment comprendre tout cela?

Il existe dans la mort du Christ un mystère qui échappe à l'entendement humain. La profondeur de l'amour de Dieu, qui laisse son Fils payer si cher la rédemption de l'humanité, dépasse l'esprit de l'homme. Mais nous devons l'accepter par un acte de foi, faute de quoi nous continuerons à porter le fardeau de la culpabilité. Nous devons accepter l'expiation que le Christ a consentie pour notre propre expiation, dont nous ne sommes jamais capables. Seul le Christ peut assurer notre salut, seulement par la foi, et seulement pour la gloire de Dieu.

Le Christ a subi le châtiment qui nous était dû.

Mon ami et associé, Cliff Barrows, m'a raconté cette histoire de châtiment, où il avait assumé pour ses enfants la punition qu'ils avaient méritée pour avoir désobéi. «Ils avaient fait quelque chose que je leur avais défendu de faire. Je les ai avertis que s'ils recommençaient, je devrais les punir. Quand je suis rentré du travail et que j'ai constaté qu'ils m'avaient désobéi, mon cœur a faibli. J'étais incapable de les punir.»

Tout père aimant comprend bien le dilemme de Cliff. La plupart d'entre nous ont vécu des situations analogues. Cliff a poursuivi son récit: «Bobby et Betty Ruth étaient très jeunes. Je les ai fait venir dans ma chambre. J'ai enlevé ma ceinture et ma chemise, puis je me suis agenouillé près du lit. Je leur ai demandé à chacun de me frapper dix fois. Il fallait les entendre pleurer. Ils ne voulaient pas le faire. Mais je leur ai dit que le châtiment devait être assumé; en sanglotant, ils ont fait ce que je leur avais demandé.»

Cliff sourit en évoquant cet incident. «Je dois avouer que je n'étais pas de la trempe des héros. Les coups m'ont fait mal. Je n'ai jamais proposé de le refaire, mais je n'ai jamais eu non plus à leur donner la fessée, parce qu'ils avaient compris. Nous nous sommes ensuite embrassés et nous avons prié ensemble.»

De cette manière infinie qui stupéfie notre cœur et notre esprit, nous savons que le Christ a payé à notre place le prix de nos péchés, passés, présents et futurs.

C'est pourquoi Il est mort sur la croix.

# ◆ CHAPITRE 9 ◆

# Le tribunal du Roi

Aux États-Unis, des élections présidentielles ont lieu tous les quatre ans. Beaucoup de choses changent alors à la Maison-Blanche, au Congrès et dans la résidence de bien des gouverneurs. Quand un élu est sur le point de céder la place à son successeur, il lui arrive de gracier des prisonniers. Il est toujours intéressant de voir qui profitera de ces décisions de onzième heure.

Si vous ou moi étions en prison et que l'on nous disait «Vous êtes libre; le président vient de vous gracier», nous prendrions vite nos affaires et déguerpirions! Ce pardon changerait notre vie.

Au tribunal du Roi des rois, le pardon signifie bien plus que cela. Sur la croix, Dieu a non seulement libéré du châtiment le croyant en Jésus-Christ, mais Il l'a accueilli à bras ouverts dans sa famille. Il nous ouvre les portes de sa maison.

La croix ne nous a pas seulement donné l'acquittement, mais aussi la justification (comme si nous n'avions jamais péché); pas seulement le pardon, mais aussi l'acceptation. Nous avons vu au chapitre précédent que Dieu Lui-même a porté le fardeau de nos péchés et a souffert en notre nom. Nous verrons maintenant que la croix nous offre plus que le pardon.

Il n'est pas seulement question ici du sang de Jésus, qui nous purifie du péché, mais aussi de sa justice. La clé se trouve dans le mot «justifié». Nous sommes «justifiés par la faveur de sa grâce en vertu de la rédemption accomplie dans le Christ Jésus». (Romains 3,24)

Il y a plusieurs années, je devais être interviewé à la maison par un animateur de télévision bien connu. Sachant que l'interview serait diffusée sur un réseau national, ma femme s'était donné beaucoup de mal pour que tout soit bien. Elle avait passé l'aspirateur, tout épousseté et remis de l'ordre dans toute la maison. Elle avait passé le salon au peigne fin, puisque c'était dans cette pièce que l'entrevue serait enregistrée. Quand l'équipe technique, avec caméras et projecteurs, est arrivée, ma femme était convaincue que le salon était parfaitement en ordre. Tout étant en place, nous nous sommes installés avec l'animateur. Tout à coup, quand les projecteurs se sont allumés, nous avons vu des fils d'araignée et de la poussière là où il semblait plus tôt ne pas y en avoir. Je cite ma femme: «La pièce était festonnée de toiles d'araignée et pleine de poussière qui n'apparaissaient pas à la lumière ordinaire.»

Ce que je veux dire par cette histoire, bien entendu, c'est que si propre et si ordonnée que nous semble notre vie, quand nous l'observons à la lumière de la Parole de Dieu, à la lumière de la sainteté de Dieu, tous les fils d'araignée et toute la poussière apparaissent soudainement.

Imaginez un tribunal. Dieu est assis dans le fauteuil du juge, revêtu de splendeur. Vous êtes traduit en justice devant Lui. Il vous regarde à la lumière de sa propre justice comme elle est exprimée dans la loi morale. Il vous parle:

DIEU: JEAN, ou MARIE, M'as-tu aimé de tout ton cœur?
JEAN/MARIE: Non, votre Honneur.
DIEU: As-tu aimé les autres comme tu t'es aimé toi-même?
JEAN/MARIE: Non, votre Honneur.
DIEU: Crois-tu que tu es pécheur et que Jésus-Christ est mort pour expier tes péchés?
JEAN/MARIE: Oui, votre Honneur.
DIEU: Alors, le prix de tes péchés a été payé par le Christ sur la croix et tu es pardonné.

J'ai obtenu le pardon, mais il y a bien plus. Quand la Bible dit que celui qui croit en Jésus est justifié par la faveur de sa grâce (voir Romains 3,24), cela évoque bien plus qu'un pardon. Et c'est le cas. Si je suis un criminel gracié par le président ou par un gouverneur, tout le monde sait que je suis encore coupable, mais que je n'ai plus à purger ma peine. Mais si je suis justifié, c'est comme si je n'avais jamais péché.

Le pardon et la justification sont nôtres quand nous croyons en Jésus. D'une part, Dieu pardonne nos péchés en raison de la mort du Christ, qui a payé pour nous; d'autre part, Dieu déclare qu'en fait nous sommes «justes».

DIEU: Parce que le Christ est justice et que vous croyez en Lui, je vous déclare maintenant légalement juste.

Comment Dieu peut-Il faire cela et rester Lui-même «juste» — quand Il a imposé pour le péché la peine de mort? La réponse se trouve dans la justice de Jésus-Christ. Il a vécu une vie irréprochable, parfaite. Sa personnalité prouvait parfaitement sa prétention à la divinité, comme nous l'avons vu au chapitre 7, «L'homme qui est Dieu». Il est facile de voir comment Dieu le Père a pu déclarer que Jésus était juste, puisque Jésus l'était en fait. Mais comment tout cela peut-il m'aider, moi, pécheur? Paul répond à cette question: «Celui qui n'avait pas connu le péché, [Dieu] l'a fait péché pour nous, afin qu'en lui nous devenions justice de Dieu.» (2 Corinthiens 5,21)

Dieu a fait porter au Christ, qui n'a jamais péché, la culpabilité de mon péché et Il L'a puni à ma place. Mais ce verset nous enseigne qu'Il a fait autre chose aussi. Par ce geste, la justice du Christ a été dévolue à ceux qui croient, «afin qu'en lui nous devenions justice de Dieu».

Le Juge, Dieu, a transféré la justice du Christ à l'homme qui croit en Lui. Maintenant, Il vous juge en fonction de la loi. Que voit-Il? Toutes vos pensées et vos mauvaises actions du passé? Vos péchés présents? Non. Il ne voit pas votre péché parce que ce péché a été transféré au Christ quand Dieu L'a fait péché. Il vous regarde attentivement et voit en vous la justice du Christ.

«Ne suis-je pas, encore aujourd'hui, pécheur?» demanderez-vous peut-être.

La réponse est «oui et non». Si vous voulez dire que vous êtes considéré comme un pécheur devant Dieu, la réponse est «non». Pour Lui, vous êtes juste. Votre casier est vierge quand vous vous tenez devant Lui.

Êtes-vous encore capable de pécher? La réponse est «oui». Vous n'êtes évidemment pas parfait. Il peut vous arriver encore d'agir et de penser contrairement aux désirs de Dieu. Mais ce n'est pas de votre nature dont nous parlons ici, mais de votre situation légale, et, légalement, vous avez été déclaré juste.

## *Suis-je libre de pécher?*

«Aime Dieu et vis comme tu l'entends!» Sommes-nous maintenant libres de pécher comme il nous plaît? Pouvons-nous sortir du tribunal, pardonné et justifié, et faire tout ce que nous voulons? Oui. Mais nous sommes nés de nouveau, et nous ne voulons pas retomber dans nos anciens péchés; nos désirs ont changé.

Si vous avez fait confiance à Jésus et constaté la profondeur de son amour pour vous sur la croix, vous direz comme l'apôtre Paul: «Car l'amour du Christ nous presse [...] il est mort pour tous, afin que les vivants ne vivent plus pour eux-mêmes, mais pour celui qui est mort et ressuscité pour eux.» (2 Corinthiens 5,14) Les changements intérieurs que Dieu commence à opérer en nous feront l'objet d'un prochain chapitre. Ils reposent tous sur un changement de statut. Nous, qui étions condamnés, sommes maintenant déclarés justes si nous avons fait confiance au Christ.

Imaginez comment un journaliste traiterait une telle nouvelle!

## PÉCHEUR PARDONNÉ PART VIVRE AVEC LE JUGE

La situation était tendue quand Jean ou Marie a comparu devant le Juge et que la liste des chefs d'accusation a été lue. Cependant, le Juge a transféré toute la culpabilité à Jésus-Christ, mort sur la croix pour Jean et Marie.
Après que Jean et Marie ont reçu le pardon, le Juge les a invités à vivre avec lui pour l'éternité.

Le journaliste qui rapporterait cette nouvelle n'arriverait jamais à comprendre toute l'ironie d'une telle situation, à moins d'avoir déjà été présenté au Juge et de connaître sa nature.

Le pardon et la justice de Dieu ne nous sont donnés que lorsque nous nous plaçons dans les mains de Jésus notre Seigneur et Sauveur. Quand nous le faisons, Dieu nous accorde sa faveur. Enveloppés par la justice du Christ, nous pouvons maintenant communier avec Dieu: «Avançons-nous donc avec assurance vers le trône de la grâce afin d'obtenir miséricorde et de trouver grâce, pour une aide opportune.» (Hébreux 4,16)

## *Conclusions fondées sur le Témoignage*

Si j'étais avocat, je suis sûr que j'étudierais les grands précédents, que j'analyserais la preuve présentée et les conclusions tirées.

Nous pouvons tirer des conclusions capitales de la mort du Christ. Premièrement, dans la croix, nous voyons la preuve la plus solide de la culpabilité du monde. Le péché a atteint son sommet quand sa manifestation la plus terrible a eu lieu. Jamais le péché n'a été plus noir et plus hideux que le jour de la mort du Christ.

Certains croient que l'homme s'est amélioré depuis et que, si le Christ revenait aujourd'hui, on ne le crucifierait pas; on le recevrait peut-être glorieusement. Pour ma part, je suis convaincu que, s'Il revenait aujourd'hui, on le torturerait et on l'exécuterait peut-être plus vite qu'il y a deux mille ans, quoique d'une façon sans doute plus raffinée. Les pécheurs crieraient encore: «À mort!»

La nature humaine n'a pas changé. Quand nous réfléchissons à la croix, nous voyons clairement que tous les hommes «ont péché et sont privés de la gloire de Dieu». (Romains 3,23) C'est le verdict inéluctable de Dieu.

Une seconde conclusion à tirer devant la croix, c'est que Dieu abhorre le péché et aime la justice. Il a souvent répété que l'âme qui pèche mourra et qu'Il ne peut lui pardonner ses péchés si sa dette n'est pas payée. Les Écritures disent: «D'ailleurs, [...] sans effusion de sang il n'y a point de rémission.» (Hébreux 9,22)

Dieu ne peut tolérer le péché. Juge moral de l'univers, Il ne peut faire de compromis et rester juste. Sa sainteté et sa justice exigent que les transgressions de la loi soient punies. Certaines écoles de pensée croient qu'une telle vision de Dieu est trop sévère. Le péché, selon eux, a un fondement psychologique. Il y a quelque temps, un jeune homme a été exécuté pour le meurtre de deux jeunes gens. Les journaux foisonnaient d'arguments juridiques et de débats sur la peine capitale et s'étendaient sur les reports fréquents de la date d'exécution. Pourquoi a-t-il commis ce crime? Quelles gens, quels événements de son passé ont déformé son esprit?

Nombreux sont ceux qui disent ne pas être responsables de ce qu'ils font. Le blâme est rejeté sur d'autres: mauvais parents, mauvais milieu, mauvais gouvernement. Mais Dieu dit que nous sommes responsables. Quand nous regardons la croix, nous voyons à quel point Dieu a traité le péché de façon draconienne. La Bible dit: «Lui qui n'a pas épargné son propre Fils mais l'a livré pour nous tous, comment avec lui ne nous accordera-t-il pas toute faveur?» (Romains 8,32) «Celui qui n'avait pas connu le péché, [Dieu] l'a fait péché pour nous.» (2 Corinthiens 5,21)

Si Dieu a dû sacrifier sur la croix son Fils unique pour racheter nos péchés, alors le péché doit être hideux à ses yeux.

Cependant, nous voyons aussi que Dieu aime la justice et que, à cause de la croix, il en revêt le croyant. Étonnant! Nous sommes enveloppés, protégés. Un ancien et merveilleux cantique ne dit-il pas que le sang et la justice de Jésus sont ma beauté glorieuse[1]? Il ne s'agit pas là d'une vaine satisfaction de soi, mais de justice par la foi au Christ, «celle qui vient de Dieu et s'appuie sur la foi». (Philippiens 3,9)

Dieu est maintenant à l'œuvre, par l'intermédiaire du Saint-Esprit, pour rendre le croyant juste dans sa nature intérieure. Pierre montre comment cela est lié à la croix quand il dit du Christ qu'Il «a porté lui-même nos fautes dans son corps, afin que, morts à nos fautes, nous vivions pour la justice». (1 Pierre 2,24)

Quelle autre conclusion tirer du témoignage de la croix? L'amour infini de Dieu qu'elle représente: «Car Dieu a tant aimé le monde qu'il a donné son Fils unique, afin que quiconque croit en lui ne se perde pas, mais ait la vie éternelle.» (Jean 3,16)

À cause de notre faiblesse d'homme, nous avons tendance à classer les péchés selon leur gravité: un petit péché ici, un très grand péché là. Nous pensons peut-être que Dieu est capable de pardonner le petit, mais incapable de pardonner et d'accepter le grand. Je me souviens d'une histoire qui s'est passée après la Seconde Guerre mondiale et qui illustre bien cette pensée. Hitler et son Troisième Reich avaient perdu la guerre contre les Alliés. Beaucoup d'anciens dirigeants nazis, qui avaient commis certains des crimes les plus infâmes que l'humanité ait connus, ont été jugés à Nuremberg. Des peines d'emprisonnement et de mort ont été prononcées contre ces criminels de guerre.

Cependant, les procès de Nuremberg ont donné lieu au récit étonnant de l'aumônier Henry Gerecke. Il se décrit lui-même comme étant un humble prédicateur ayant grandi dans une ferme du Missouri, à qui on avait confié la lourde tâche d'être aumônier auprès de l'ancien haut commandement nazi.

Gerecke se souvient de la conversion sincère à la foi en Jésus-Christ de certains de ces hommes qui avaient commis les crimes les plus répréhensibles qui soient, dont l'un des généraux favoris d'Hitler. Au début, l'aumônier se méfiait des confessions de foi. Il raconte que, la première fois qu'il a vu ce criminel en train de lire la Bible, il a pensé: «Quel hypocrite!» Cependant, après avoir passé quelque temps avec lui, Gerecke a écrit: «Plus je l'écoutais, plus j'avais l'impression qu'il était sincère. Il m'a avoué ne pas avoir été un bon chrétien. Il m'a dit qu'il était heureux que la nation qui allait sans doute le mettre à mort se préoccupait assez de son bien-être éternel pour lui fournir un guide spirituel.» Bible en main, l'ancien général m'a dit: «Grâce à ce livre, je sais que Dieu peut aimer un pécheur comme moi[2].»

Quel étonnant amour Dieu nous a manifesté sur la croix!

La quatrième conclusion à tirer du témoignage de la croix, c'est qu'on y trouve le fondement d'une vraie fraternité mondiale. Nombreux sont les groupes qui épousent la cause de la fraternité humaine et lancent des appels en faveur de la paix. Mais ce n'est que lorsque nous entrons dans la famille de Dieu, par la paternité de Dieu, que peut exister une vraie fraternité humaine. À notre naissance, Dieu ne devient pas automatiquement notre Père (sauf du point de vue de la création); Il doit devenir notre Père sur le plan spirituel.

La Bible nous enseigne que nous pouvons faire l'expérience d'une fraternité et d'une filiation glorieuses par l'intermédiaire de la croix. «Car c'est lui qui est notre paix, lui qui des deux peuples n'en a fait qu'un, détruisant la barrière qui les séparait, supprimant en sa chair la haine, cette Loi des préceptes avec ses ordonnances, pour créer en sa personne les deux en un seul Homme Nouveau, faire la paix, et les réconcilier avec Dieu, tous deux en un seul Corps, par la Croix.» (Éphésiens 2,14-15)

En dehors de la croix, on trouve amertume, intolérance, haine, préjugés, convoitise et rapacité. Dans l'œuvre de la croix, on trouve amour, vie nouvelle et fraternité. La seule espérance de paix qu'ait l'homme se trouve dans la croix du Christ, où tous les hommes, de toutes les nationalités et de toutes les races, peuvent devenir frères.

Vous connaissez sans doute l'histoire de Hansei. Son livre, *Hansei*, décrit sa dévotion absolue à Adolf Hitler et au mouvement nazi durant les années passées dans les jeunesses hitlériennes, son désenchantement ultérieur et la perte de ses illusions, puis sa conversion au Christ. Ma femme possède une lettre de Hansei racontant sa première rencontre avec Corrie ten Boom, dont le livre, *The Hiding Place*, raconte les expériences de la famille ten Boom durant la Seconde Guerre mondiale. Les ten Boom ont été arrêtés et incarcérés pour avoir caché des Juifs; le père et la sœur de Corrie y ont péri.

Un jour, Hansei et Corrie se sont trouvées au même congrès, à autographier leurs œuvres respectives. Hansei, après s'être retenue tant qu'elle a pu, s'est dirigée vers Corrie, sentant le besoin de lui demander pardon. Hansei s'est frayé un chemin parmi les admirateurs qui faisaient la queue devant la table de Corrie. Les larmes aux yeux, elle s'est agenouillée devant Corrie et lui a dit: «Corrie, je suis Hansei.» Réaction de Corrie: le pardon absolu, mais aussi l'amour et l'acceptation. Voilà qui ne pouvait se passer qu'entre chrétiens et qui illustre bien l'œuvre de la croix.

Le capitaine Mitsuo Fuchida est le commandant japonais qui a mené le bombardement de Pearl Harbour. Il raconte que, au retour d'Amérique des prisonniers de guerre japonais, il s'était demandé quel genre de traitement ils avaient reçu. Un ancien prisonnier qu'il a interrogé par la suite lui a appris ce qui, au camp, leur avait permis d'oublier leur haine et leur hostilité à l'endroit de leurs geôliers. Une jeune fille s'était montrée extrêmement bienveillante et serviable envers eux et leur avait manifesté un tel amour et une telle tendresse que leur cœur avait été touché. Les prisonniers japonais lui avaient demandé pourquoi toute cette bonté à leur égard. Elle avait répondu, à leur grand étonnement, que c'était parce que ses parents avaient été tués par l'armée japonaise! Au début de la guerre, ses parents, missionnaires chrétiens aux Philippines, avaient dû fuir dans les montagnes après l'invasion japonaise. Les envahisseurs les ayant trouvés, ils ont été accusés d'espionnage et exécutés. Avant de mourir, ils ont demandé la permission de prier pendant trente minutes, ce qui leur a été accordé. La jeune fille était convaincue que ses parents avaient passé trente minutes à prier pour le pardon de leurs bourreaux; c'est pourquoi elle avait pu laisser le Saint-Esprit dissiper la haine de son cœur et la remplacer par l'amour.

Le capitaine Fuchida n'arrivait pas à comprendre un tel amour. Plusieurs mois ont passé et, un jour, à la gare de Tokyo, il a reçu un feuillet. On y racontait l'histoire du sergent Jacob DeShazer, capturé par les Japonais, torturé et interné dans un camp de prisonniers de guerre pendant quarante mois. Au camp, DeShazer a accepté le Christ grâce à sa lecture de la Bible. La Parole de Dieu a dissipé dans son cœur la haine et l'amertume qu'il nourrissait à l'endroit des Japonais et les a remplacées par un amour tel qu'il s'est senti obligé de retourner au Japon pour parler aux Japonais de ce merveilleux amour de Dieu.

Le capitaine Fuchida s'est procuré une Bible et a commencé à la lire. À la scène de la crucifixion, il a été frappé par les paroles de Jésus: «Père, pardonne-leur: ils ne savent ce qu'ils font.» (Luc 23,34)

Jésus a prié pour les soldats qui étaient sur le point de le transpercer de leur lance. Dans son livre, *From Pearl Harbour to Golgotha*, le capitaine Fuchida raconte comment il a trouvé la source de cet amour miraculeux capable de pardonner aux ennemis, et pourquoi il est maintenant en mesure de comprendre l'histoire de la jeune Américaine dont les parents avaient été exécutés et l'histoire de la transformation opérée dans la vie de Jacob DeShazer.

## Questions personnelles auxquelles répond la croix

«Pourquoi suis-je incapable de résoudre mes problèmes?» Cette question me rappelle une bande dessinée de Peanuts. On y voit Lucy dans son cabinet de psychiatre en train de donner des conseils à Charlie Brown. Charlie, ayant perdu un autre match de baseball, se sent abattu et déprimé. Lucy, la psychiatre, lui explique que la vie est faite de hauts et de bas. Charlie quitte le cabinet de Lucy en criant: «Je déteste les bas; je ne veux que des hauts!»

J'ai bien peur que ceux d'entre nous qui prêchent le message chrétien donnent l'impression que, une fois le Christ accepté, nous n'aurons plus jamais de problèmes. Cela n'est pas vrai, mais nous avons quelqu'un pour nous aider à les résoudre. J'ai une amie paraplégique depuis plus de trente ans. Malgré ses problèmes accablants auxquels il n'y a pas de solution, elle a appris non seulement à vivre avec son handicap, mais aussi à être radieuse et triomphante, bénissant les autres et les gagnant à la cause du Christ.

Paul Tournier, l'un des grands psychiatres suisses, a déclaré que le chrétien doit comprendre que chaque jour est nouveau et qu'il y aura toujours une adaptation à faire. Si je conduis ma voiture en ville, il m'est impossible de garder le volant immobile et de rouler à une vitesse constante. Il me faut m'arrêter, redémarrer, faire des virages. Il en va de même dans la vie quotidienne. Il y a toujours un prix à payer pour notre nature humaine; la souffrance et les problèmes font partie de ce prix. Mais le Christ nous a promis de toujours être avec nous.

Le psaume 34 contient trois grandes déclarations au sujet de nos problèmes:

«Un pauvre a crié, Yahvé écoute, et de toutes ses angoisses il le sauve.» (v. 7)

«Ils crient, Yahvé écoute, de toutes leurs angoisses il les délivre.» (v. 18)

«Malheur sur malheur pour le juste, mais de tous Yahvé le délivre.» (v. 20)

La vie chrétienne n'est pas une façon d'«échapper» à la vie tout court, mais un moyen de la «traverser». La délivrance dont il est question dans ces versets n'est pas une délivrance de la difficulté, mais par la difficulté. L'érudit anglais Arthur Way a dit: «La délivrance "par", non pas "de" l'épreuve. La signification semble être "délivre-moi en toute sécurité du conflit", pas simplement "empêche-moi de connaître le conflit".»

Autre question: «Je me sens si coupable, comment trouver le soulagement?»

La culpabilité est un sentiment qui affaiblit et qui peut miner notre attitude, nos relations personnelles et notre ouverture aux autres. Il nous arrive de nous sentir coupables parce que nous avons fait des choses qui sont mauvaises, dont nous devons assumer la responsabilité et pour lesquelles, aussi, nous devons accepter le pardon de Dieu.

Des médecins m'ont dit qu'une grande partie des patients internés dans les hôpitaux psychiatriques pourraient recevoir leur congé si seulement ils pouvaient être certains d'avoir été pardonnés.

Il est facile de rejeter la faute sur quelqu'un ou sur quelque chose. Anna Russell, la comédienne anglaise, a écrit un petit poème assez intéressant sur la culpabilité:

J'ai vu mon psychiatre pour qu'il m'analyse.
Pour qu'il me dise pourquoi j'ai frappé mon chat.
Il m'a fait étendre sur son divan, pour voir ce qu'il pourrait trouver.
Voici ce qu'il a déterré dans mon subconscient.
Quand j'avais un an, ma mère a caché ma poupée dans une malle,
Il est donc naturel que je m'enivre tous les jours.
Quand j'avais deux ans, j'ai souffert de sentiments ambigus envers mes frères,
Il est donc naturel que j'aie empoisonné tous mes amants.
Aujourd'hui je suis si heureuse d'avoir tiré leçon de ces circonstances:

Tout ce que je fais de mal est la faute de quelqu'un d'autre.

Pour certains, la culpabilité sert d'excuse. Ils n'acceptent pas le pardon qui leur est offert, car il est trop difficile à croire. Dieu qui nous pardonne nos péchés à tout jamais, voilà qui semble trop beau pour être vrai; c'est pourtant le message de l'Évangile. Quand nous nous accrochons à notre culpabilité, nous n'honorons pas Dieu et nous handicapons terriblement notre vie.

Le pardon est une chance que le Christ nous a donnée sur la croix. En l'acceptant et en acceptant de nous pardonner à nous-mêmes, nous trouvons le soulagement.

Quand les usines de Londres ont récupéré dans les eaux usées tout ce qui peut servir, les boues résiduelles sont chargées dans des barges sur la Tamise et transportées vers l'océan pour y être déversées. On dit que, quelques minutes seulement après le déversement, l'océan devient aussi pur qu'il l'était auparavant. Voilà une belle illustration de la façon dont Jésus a déversé nos péchés dans les profondeurs des océans.

Corrie ten Boom raconte l'histoire d'une petite fille qui avait cassé l'une des petites tasses préférées de sa mère. Elle s'est approchée de sa mère en pleurant: «Maman, je regrette beaucoup d'avoir cassé ta belle tasse.»

La mère à répondu: «Je sais que tu le regrettes, et je te pardonne. Maintenant, ne pleure plus.» La mère a ramassé les morceaux de porcelaine pour les jeter à la poubelle. Mais la petite fille se complaisait dans son sentiment de culpabilité. Elle a repris les morceaux de tasse et les a rapportés à sa mère en pleurant: «Maman, je regrette vraiment d'avoir cassé ta jolie tasse.»

Cette fois-ci, la mère lui a parlé avec fermeté: «Jette ces morceaux à la poubelle et ne sois plus assez sotte pour les en ressortir. Je t'ai dit que je te pardonnais, alors cesse de pleurer et ne me rapporte plus ces morceaux de porcelaine.»

La confession et la purification dissipent le sentiment de culpabilité. «Si nous confessons nos péchés, lui, fidèle et juste, pardonnera nos péchés et nous purifiera de toute iniquité.» (1 Jean 1,9)

Cependant, l'histoire du péché de David (Psaume 51) nous montre que le pardon n'élimine pas les conséquences naturelles de nos péchés. On peut pardonner le meurtre, mais cela ne redonne pas la vie à la victime.

On raconte l'histoire de quelques pêcheurs d'Écosse qui avaient passé la journée en mer. Le soir venu, ils étaient allés prendre le thé dans une petite auberge. L'un des pêcheurs, dans un geste typique pour décrire la taille du poisson qui lui avait échappé, avait fait un grand mouvement des mains juste au moment où la serveuse s'apprêtait à poser les tasses sur la table. La main du pêcheur a heurté violemment la tasse, et le thé a été projeté contre le mur blanchi. Une grosse tache brune s'est immédiatement formée sur le mur. L'homme, très embarrassé, s'est répandu en excuses, tandis qu'un autre convive s'est levé brusquement en disant: «T'en fais pas.» Il a sorti un stylo de sa poche et a commencé à dessiner autour de la tache. La silhouette d'un magnifique cerf et de ses bois est bientôt apparue. Cet homme, c'était Landseer, l'un des plus grands peintres animaliers de Grande-Bretagne.

Pour moi, cette histoire a toujours joliment illustré le fait que, si nous confessons à Dieu non seulement nos péchés mais aussi nos erreurs, Il peut en tirer quelque chose pour notre bien et pour sa gloire. Il semble nous être plus difficile de confier nos erreurs et stupidités à Dieu que nos péchés. Les erreurs et les stupidités nous paraissent tellement sottes, tandis que le péché semble plus ou moins le résultat de notre nature humaine. L'Épître de Paul aux Romains, verset 8,28, nous dit que, dans le cas de ceux qui aiment Dieu, «Dieu collabore en tout pour leur bien, avec ceux qu'il a appelés selon son dessein».

Pour faire un gâteau, vous mélangez farine, poudre à pâte, chocolat amer, graisse végétale, etc., — ingrédients qui n'ont pas très bon goût pris séparément, mais qui composent ensemble un délicieux dessert. Il en est ainsi de nos péchés et de nos erreurs — ils ne sont pas bons en soi, mais si nous les confions au Seigneur en toute honnêteté et en toute bonne foi, Il les réglera à sa façon et en son temps, pour notre plus grand bien et pour sa plus grande gloire.

Question: «Me faut-il comprendre tout cela au sujet de la mort du Christ?»

La profondeur de l'amour de Dieu qui a envoyé son Fils payer un prix si cruel pour nos péchés dépasse de loin la capacité de compréhension de l'homme. Nous devons l'accepter par la foi, faute de quoi nous continuerons à porter le fardeau de la culpabilité. Le salut se trouve seulement dans le Christ, seulement par la foi et seulement pour la gloire de Dieu.

Jésus n'a jamais dit «Comprends». Il a dit «Crois».

# ◆ Chapitre 10 ◆

# Jésus-Christ est vivant

À Moscou, dans un mausolée de la place Rouge, repose la dépouille embaumée de Lénine. Des millions de visiteurs ont défilé devant le cercueil de cristal, sur lequel on peut lire: «Ici repose le plus grand guide de tous les peuples et de tous les temps. Il a été le seigneur de la nouvelle humanité, le sauveur du monde.»

Cet hommage à Lénine est formulé au passé composé. Quel contraste étonnant par rapport aux paroles triomphantes du Christ: «Je suis la résurrection. Qui croit en moi, même s'il meurt, vivra.» (Jean 11,25)

La résurrection constitue le fondement de notre foi en Jésus-Christ. Karl Barth, le grand théologien suisse, a dit que le salut était impossible sans la croyance en la résurrection physique du Christ.

Si le Christ reposait dans un quelconque tombeau quelque part près de Jérusalem, où les millions de touristes qui visitent Israël chaque année pourraient défiler devant son monument pour L'adorer, le christianisme ne serait qu'une fable. L'apôtre Paul a dit: «Mais si le Christ n'est pas ressuscité, vide alors est notre message, vide aussi votre foi […] Et si le Christ n'est pas ressuscité, vaine est votre foi; vous êtes encore dans vos péchés.» (1 Corinthiens 15,14-17)

On prononce généralement un sermon sur la résurrection le jour de Pâques, et c'est à peu près tout. Mais quand les apôtres prêchaient, ils faisaient constamment de la croix et de la résurrection leurs thèmes. Sans la résurrection, la croix est dénuée de sens.

## *L'homme vivra-t-il à nouveau?*

Certains disent que nous ne sommes que sang, chair et os. Après la mort, plus rien ne se passe, nous n'allons nulle part. Ou si nous allons quelque part, c'est dans quelque endroit nébuleux, imaginaire, qui peut représenter à peu près n'importe quoi.

La science a-t-elle une réponse à cette question? J'ai interrogé des savants sur la vie après la mort, et la plupart disent: «Nous ne savons pas.» La science s'occupant de formules et d'éprouvettes, le monde spirituel lui échappe.

Beaucoup de ceux qui ne croient pas à la vie après la mort imprègnent leurs œuvres littéraires de tragédie et de pessimisme. Gore Vidal, Truman Capote, Dalton Trumbo et bien d'autres trempent leur plume dans l'encrier noir du pessimisme. Les paroles de Jésus-Christ sont bien différentes des leurs: «Mais vous, vous verrez que je vis et vous aussi, vous vivrez.» (Jean 14,19) Nous devons fonder notre espoir d'immortalité sur le Christ seul, et non sur nos désirs, nos raisonnements ou une quelconque intuition d'immortalité.

La Bible parle de la résurrection de Jésus comme de quelque chose qui pourrait être saisi par les sens physiques. Après la résurrection, les disciples de Jésus l'ont vu dans beaucoup de conditions différentes. Il est apparu une fois devant un seul disciple, une autre fois devant cinq cents. Certains étaient seuls quand ils L'ont vu, d'autres étaient en groupe. Des disciples L'ont vu pendant un instant, d'autres pendant plus longtemps.

Les disciples ont entendu Jésus. Ils se sont fait dire de Le toucher pour vérifier sa réalité physique. Ils L'ont touché, ils ont marché avec Lui, ils Lui ont parlé, ils ont mangé en sa compagnie et ils L'ont examiné. Voilà qui a fait sortir du domaine de l'hallucination les apparitions de Jésus après sa résurrection et qui les a rangées dans le domaine des faits physiques vérifiables.

Les faits historiques fournissent le fondement de notre croyance à la résurrection physique du Christ. Nous en possédons plus de preuves que de tout autre événement de l'époque, religieux ou profane.

## *Et les autres religions?*

La plupart des religions du monde se fondent sur une pensée philosophique, sauf le judaïsme, le bouddhisme, l'islam et le christianisme, qui sont centrées sur des personnes. Seul le christianisme prétend que son fondateur est ressuscité.

Abraham, le père du judaïsme, est mort environ dix-neuf siècles avant Jésus-Christ. Il n'y a aucune preuve qu'il serait ressuscité.

Bouddha a vécu environ cinq siècles avant le Christ et a enseigné les principes de l'amour fraternel. On croit qu'il est mort à quatre-vingts ans. Il n'y a aucune preuve qu'il serait ressuscité.

Mahomet est mort en l'an 632 de notre ère. Chaque année, des milliers de musulmans visitent son tombeau, à Médine. La Mecque, lieu de sa naissance, accueille aussi des milliers de pèlerins. Cependant, il n'y a aucune preuve qu'il serait ressuscité.

## Preuves de la résurrection du Christ

Certains croient que Jésus n'est pas vraiment mort, qu'Il s'est simplement évanoui. Puisqu'il ne peut y avoir de résurrection sans mort, cette théorie nie la résurrection. Pourtant, les preuves de sa mort sont irréfutables.

Les soldats étaient convaincus que Jésus était mort, c'est pourquoi ils n'ont pas eu besoin de provoquer sa mort en Lui brisant les jambes, comme ils l'ont fait pour les larrons. Ce ne sont pas les amis de Jésus, mais ses ennemis qui ont attesté sa mort. En outre, ils se sont assurés qu'Il était bien mort en lui transperçant le cœur de leur lance.

L'un des hommes les plus riches du monde, Howard Hughes, est mort il y a quelques années. Les événements et les circonstances entourant sa mort restent mystérieuses, malgré le fait qu'il était entouré d'un essaim d'hommes qui le protégeaient et le suivaient partout.

Dans une ville du Moyen-Orient, cependant, il existe plus de preuves de la mort d'un certain homme — seul sur la croix, entre deux voleurs — que de celle de tout autre. Le grand érudit biblique Wilbur Smith a dit: «Disons simplement que nous en savons plus long sur la mort de Jésus et sur les heures qui l'ont précédée immédiatement que sur la mort de tout autre homme des temps passés[1].»

*Jésus a été enseveli.* Nous en savons plus long sur l'ensevelissement de Jésus que sur celui de tout autre personnage de l'histoire. Son corps a été descendu de la croix, enveloppé dans un linceul, avec des épices. Joseph d'Arimathie, un homme riche qui était secrètement le disciple de Jésus, a rassemblé son courage et demandé à Pilate la dépouille du Christ. On raconte qu'il a alors pris le corps du Christ et qu'il l'a enveloppé dans un linceul. (Matthieu 27,59) On dit aussi que Nicodème (le chef religieux qui avait demandé à Jésus comment renaître) est allé voir le corps et qu'il avait apporté un mélange très cher de myrrhe et d'aloès pour mettre dans le linceul, comme c'était la coutume dans les enterrements juifs.

Le corps de Jésus a été placé dans la tombe de Joseph, située dans le jardin. La procédure d'ensevelissement prouve qu'il s'agissait d'un corps et non d'un esprit que l'on enterrait. Les esprits sont immatériels; on ne peut les ensevelir.

Après l'ensevelissement, on a roulé une grande pierre à l'entrée du tombeau et on l'a scellée. Quiconque aurait tenté de déplacer la pierre aurait brisé le sceau romain et encouru les peines sévères de la loi romaine.

Pour veiller à ce que les disciples de Jésus ne viennent pas voler son corps, on a placé un garde devant la pierre. Les ennemis de Jésus ne voulaient pas que la prophétie de la résurrection se réalise.

Que dire des gardes romains? Ce n'étaient pas des lâches. La discipline était si sévère qu'on punissait de mort tout garde qui abandonnait son poste ou s'y endormait.

Les historiens avancent qu'il y avait sans doute quatre gardes de faction devant le tombeau, tous armés de lances et de boucliers. Il n'y avait aucun risque que l'on subtilise le corps du Christ.

*Le tombeau vide.* C'était le troisième jour, le jour où Jésus avait dit qu'il ressusciterait. Autour du tombeau, la terre s'est mise à trembler; les pièces d'armure des soldats romains ont dû s'entrechoquer vivement. L'ange du Seigneur est alors descendu du ciel et est venu rouler la pierre, sur laquelle il s'est assis. L'ange n'a pas eu besoin de dire quoi que ce soit. À sa vue, les soldats ont tressailli d'effroi et sont devenus comme morts. L'ange a parlé à Marie Madeleine et à Marie, aussi, mais la Bible dit que celles-ci l'ont écouté et qu'elles sont allées annoncer la nouvelle aux disciples du Christ.

Pierre et Jean ont accouru au tombeau; Jean y a jeté un coup d'œil et a vu que le linceul du Christ était vide. Pierre, lui, fidèle à ses habitudes, est entré dans le tombeau et a constaté que le corps du Christ n'y était plus.

*La résurrection corporelle* est un fait qui a été attesté par des centaines de témoins. Nous savons que Jésus est apparu treize fois, dans des circonstances très différentes. Son corps était à la fois semblable à celui qui avait été cloué sur la croix et différent. Il ressemblait à un corps humain ordinaire au point que Marie L'a pris pour le jardinier, quand Il lui est apparu près du tombeau. Il mangeait, Il parlait, Il occupait un espace physique.

Cependant, son corps était différent d'un corps humain ordinaire. Il pouvait passer à travers les portes fermées et disparaître instantanément. Le corps du Christ était à la fois physique et spirituel. Pourquoi cela devrait-il nous étonner? Paul a dit au roi Agrippa: «Pourquoi juge-t-on incroyable parmi vous que Dieu ressuscite les morts?» (Actes 26,8)

La Bible affirme à maintes reprises la réalité de la résurrection corporelle du Christ. Luc le déclare formellement dans les Actes des Apôtres: «C'est encore à eux qu'avec de nombreuses preuves il s'était présenté vivant après sa mort; pendant quarante jours [...]» (Actes 1,3)

Parlant de ces «nombreuses preuves», C.S. Lewis dit: «Le premier fait dans l'histoire de la chrétienté, c'est que des gens ont dit qu'ils avaient vu la résurrection. S'ils étaient morts avant de faire croire à d'autres cet "évangile", aucun évangile n'aurait jamais été écrit[2].»

## La résurrection essentielle

Une série d'événements forment les maillons d'une chaîne de l'éternité à l'éternité. Ce sont l'incarnation de Jésus, sa crucifixion, sa résurrection, son ascension et son retour sur la terre. Si un chaînon manque, la chaîne est détruite.

Le système de vérité du christianisme s'effondre si on rejette la résurrection. Comme l'a dit Paul: «Mais si le Christ n'est pas ressuscité, vide alors est notre message, vide aussi votre foi.» (1 Corinthiens 15,14)

En plus de rompre la chaîne des événements rédempteurs, si la résurrection n'était pas essentielle, la bonne nouvelle du salut serait terne, sans vie, négative. La résurrection est essentielle à l'Évangile. Paul a dit: «Je vous rappelle, frères, l'Évangile que je vous ai annoncé, que vous avez reçu et dans lequel vous demeurez fermes, par lequel aussi vous vous sauvez, si vous le gardez tel que je vous l'ai annoncé; sinon, vous auriez cru en vain. Je vous ai donc transmis en premier lieu ce que j'avais moi-même reçu, à savoir que le Christ est mort pour nos péchés selon les Écritures, qu'il a été mis au tombeau, qu'il est ressuscité le troisième jour selon les Écritures.» (1 Corinthiens 15,1-4)

Dans mon livre, *Un monde en flammes*, je reprends la relation qu'a faite Charles Reynold Brown d'une conversation entre le philosophe Auguste Comte et l'essayiste écossais Thomas Carlyle: «Comte lui disait son intention de commencer une nouvelle religion qui supplanterait entièrement la religion du Christ. Elle n'aurait, disait-il, aucun mystère, elle serait aussi claire que la table de multiplication, et se nommerait le positivisme. "Très bien, M. Comte, très bien, répondit Carlyle. Tout ce que vous avez à faire est de parler comme aucun homme n'a jamais parlé, de vivre comme aucun être n'a jamais vécu, d'être crucifié, de ressusciter le troisième jour et de faire croire au monde que vous êtes encore vivant. Alors seulement votre religion aura une chance de se répandre[3]."»

Aujourd'hui, les «nouvelles religions» poussent comme des champignons. Je me demande combien d'entre elles répondraient aux critères formulés par Carlyle.

Depuis le premier chapitre du présent ouvrage, nous avons mis l'accent sur l'expérience de la renaissance. L'expérience personnelle du salut est directement reliée à la croyance en la résurrection. Paul a défini la foi qui sauve et a montré qu'elle était centrée sur la croyance en la résurrection: «En effet, si tes lèvres confessent que Jésus est Seigneur et si ton cœur croit que Dieu l'a ressuscité des morts, tu seras sauvé. Car la foi du cœur obtient la justice, et la confession des lèvres, le salut.» (Romains 10,9-10)

Les Écritures ne pourraient être plus limpides à ce sujet. Pourtant, les ministres de certaines Églises disent croire à la résurrection, mais qu'elle signifie que Jésus est immédiatement ressuscité de la mort pour passer à la vie spirituelle avec Dieu. Ils disent croire à une «résurrection spirituelle», mais pas à une «résurrection physique». C'est ce que certains prédicateurs modernes proclament en chaire le jour de Pâques; heureusement, ils sont de moins en moins nombreux.

Cela explique pourquoi des multitudes de membres de certaines Églises assistent aux services religieux, jour après jour, année après année, sans jamais entendre l'Évangile dans sa totalité, sans savoir ce que c'est que de naître de nouveau. Ils écoutent un Évangile amputé qui, de ce fait, n'est vraiment pas la Bonne Nouvelle. La résurrection ne s'est pas faite hors du corps; elle a été physique. Les témoins de la résurrection ont dit «Nous réfléchissons comme en un miroir la gloire du Seigneur», «Vous le verrez», «Il apparut d'abord à Marie de Magdala», «N'ai-je donc pas vu Jésus notre Seigneur?».

Dans le court espace de trois jours, les deux événements — la mort et la résurrection — se sont produits corporellement et non symboliquement, tangiblement et non spirituellement, observés par des hommes en chair et en os et non fabriqués par des hallucinations.

La résurrection du Christ est aussi la garantie de notre propre résurrection.

Pour comprendre cela, il nous faut voir que, dans la Bible, la mort touche à la fois la personnalité et le corps. (Vous rappelez-vous les trois dimensions de la mort?) Le corps aussi doit être sauvé de la condamnation. Ce n'est que par la résurrection du corps que Dieu pouvait conquérir complètement la mort. Il a commencé par le corps de Jésus, et Il continue de la même manière avec celui de tous ceux qui croient en Lui. Comme le jugement de la mort était total, le salut l'est aussi dans les dimensions physique, spirituelle et éternelle.

Il est évident que notre corps ressuscité sera reconnaissable, mais il ne peut être exactement le même que notre corps actuel. Cependant, il sera comme celui du Christ ressuscité. Le corps du Christ portait la marque des clous et de la lance, pourtant il pouvait traverser les portes fermées. Quand le moment est venu pour Lui de monter au ciel, il a été capable de l'Ascension.

Quelle belle promesse pour nous! «Puisque nous croyons que Jésus est mort et qu'il est ressuscité, de même, ceux qui se sont endormis en Jésus, Dieu les emmènera avec lui.» (1 Thessaloniciens 4,14)

Jésus a tout misé sur sa résurrection, dont il dépendait qu'Il serait jugé vrai ou faux.

## Aujourd'hui, que signifie la résurrection pour nous?

Le Christ accompagne tous ceux qui Lui font confiance. La résurrection signifie donc la présence avec chacun du Christ vivant. Il a dit: «Je suis avec vous pour toujours jusqu'à la fin du monde.» (Matthieu 28,20) C'est la garantie que nous donne le Christ: la vie prend un nouveau sens. Après la crucifixion, les disciples étaient désemparés: «Nous espérions, nous, que c'était lui qui allait délivrer Israël.» (Luc 24,21) Ils étaient remplis d'angoisse parce qu'ils considéraient la mort du Christ comme une terrible tragédie. La vie avait perdu son sens pour eux. Mais quand le Christ est sorti de son tombeau, ils ont vu le Christ vivant, et la vie a de nouveau eu un sens.

Nous pouvons aussi revendiquer les prières du Christ vivant. La Bible dit: «Le Christ Jésus, celui qui est mort, que dis-je? ressuscité, qui est à la droite de Dieu, qui intercède pour nous [...]» (Romains 8,34) Il ne faut pas croire que nos prières tombent dans le vide. Le Christ vivant est assis à la droite de Dieu le Père. Dieu le Fils a conservé l'humanité qu'Il avait assumée pour nous sauver et Il vit maintenant dans le corps qui porte la marque des clous et de la lance. Il est comme notre avocat qui intercède auprès de Dieu le Père.

La présence du Christ ressuscité nous donne la force de vivre notre vie au jour le jour et de Le servir. «En vérité, en vérité, je vous le dis, celui qui croit en moi fera, lui aussi, les œuvres que je fais; et il en fera même de plus grandes, parce que je vais vers le Père.» (Jean 14,12)

Le corps ressuscité de Jésus est le modèle du corps que nous aurons quand nous ressusciterons des morts. Quelles que soient les maladies, douleurs ou difformités qui affectent notre corps terrestre, nous en recevrons un neuf. «Pour nous, notre cité se trouve dans les cieux, d'où nous attendons ardemment, comme sauveur, le Seigneur Jésus Christ, qui transformera notre corps de misère pour le conformer à son corps de gloire, avec cette force qu'il a de pouvoir même se soumettre toutes choses.» (Philippiens 3,20-21)

Des milliers d'êtres humains sont stimulés par la prophétie de la Bible. La révélation contenue dans la Bible sur les événements passés, présents et futurs sert de plus en plus souvent de thème dans les œuvres écrites, dans les sermons et dans les conférences. La seconde venue du Christ est une réalité de plus en plus proche pour ceux d'entre nous qui étudient la Bible et qui observent la scène mondiale.

La résurrection contient la clé de tout le plan de l'avenir. Si le Christ n'était pas ressuscité, il ne pourrait y avoir de royaume, ni de Roi qui revient. Le jour de l'Ascension du Christ, quand Dieu a quitté cette terre, deux anges se trouvaient à côté des disciples et les ont assurés que le Christ de la résurrection serait aussi le Christ du retour glorieux: «Hommes de Galilée, pourquoi restez-vous ainsi à regarder le ciel? Celui qui vous a été enlevé, ce même Jésus, viendra comme cela, de la même manière dont vous l'avez vu s'en aller vers le ciel.» (Actes 1,11)

La résurrection est un événement qui nous prépare à la seconde venue du Christ et qui nous en confirme la réalité.

Oui, Jésus-Christ est vivant.

Il est évident que la résurrection physique du Christ est un élément essentiel du plan divin du salut. Vous êtes-vous donné à ce Christ vivant?

Une femme nous a écrit ceci: «Hier soir, je regardais la télévision, seule à la maison. Je n'avais pas le programme des émissions. Quelque chose m'a poussée à regarder la chaîne qui diffusait l'Évangile. J'étais alors aux prises avec un grave problème. Je faisais — je fais — face à la mort, et il n'est pas certain qu'une intervention chirurgicale puisse m'aider. Je reportais toujours cette intervention, parce que je craignais d'avoir été coupée de Dieu.

«J'ai commencé à vraiment chercher le Seigneur. Le message entendu à la télévision ce soir-là a été le moyen choisi par Dieu pour me parler et pour répondre à mes prières. Maintenant, mon âme est remplie d'une paix profonde.»

Si vous faites confiance au Christ ressuscité comme votre Seigneur et votre Sauveur, Il sera auprès de vous quand vous mourrez, et Il vous donnera la vie éternelle avec Lui. Grâce à la résurrection, vous pouvez «naître de nouveau».

# TROISIÈME PARTIE

# La réponse de l'homme

# ◆ CHAPITRE 11 ◆

# La nouvelle naissance maintenant

Le café semble amer et les rôties, froides, quand on a fini de lire le journal du matin. Encore un attentat en Égypte. L'Afrique est déchirée par des guerres tribales. Le Moyen-Orient semblait s'être apaisé jusqu'à ce qu'un autre incident de frontière mette le feu aux poudres. Trois étudiantes sont assassinées sur le campus d'une grande université.

Que peut faire l'homme ordinaire? Il se sent incompétent, impuissant. Tous les comités du monde, toutes les résolutions, tous les changements de gouvernement ne semblent pas transformer la société.

Pour que l'humanité soit sauvée, il est évident que quelque chose de radical doit être fait, et fait rapidement. Les forces qui s'élèvent dans notre monde sont si accablantes que de partout les gens se mettent à crier de désespoir. Ils se sentent comme l'homme que décrit John Bunyan dans *Voyage du pèlerin*: «[...] son esprit était profondément affligé; il a éclaté, comme il l'avait fait auparavant, et s'est écrié: "Que faut-il que je fasse pour être sauvé?"»

Bien des choses semblent s'améliorer dans notre monde, mais pas l'homme. On peut envoyer un vaisseau spatial sur la lune, prendre des gros plans de Mars, mais on ne peut se promener en toute sécurité dans nos rues le soir. Les manifestations subtiles de l'égoïsme et de l'indifférence apparaissent partout. Des hommes et des femmes droits en apparence avouent les plus grossières concupiscences. (Et qui, aujourd'hui, s'en choque encore?) La méchanceté de l'homme se déchaîne: on vole, on triche, on ment, on viole, on tue.

Un homme qui travaille dans l'industrie cinématographique a dit que, pour voir le changement qui s'est opéré dans la moralité au cours de la dernière génération, il suffisait de comparer les titres de films de l'époque avec ceux des films d'aujourd'hui. Il y a tout un monde entre *La route enchantée* et *Glissements progressifs du plaisir!*

L'homme a fait beaucoup de tentatives pour se changer. Nous avons essayé en vain d'atteindre des objectifs moraux en améliorant notre environnement; nombreux sont ceux qui ont été déçus par les résultats obtenus.

Comment changer la nature humaine?

## *Le changement qui vient de l'extérieur*

Les études en anthropologie, en psychologie et en sociologie axées sur la découverte des lois du comportement humain sont un élément important de la recherche universitaire. Trop souvent, cependant, les chercheurs eux-mêmes ignorent la réalité du péché de l'homme et considèrent l'être comme issu d'une combinaison de gènes et de chromosomes, et façonné par son environnement. Au cours d'une réunion de l'Association américaine d'anthropologie, un zoologiste de Harvard a présenté à l'assemblée savante une nouvelle discipline qu'il a appelée sociobiologie, c'est-à-dire «l'étude des fondements biologiques du comportement social chez toutes les espèces; ses tenants croient qu'une partie — peut-être importante — du comportement humain est génétiquement déterminé[1]».

Les sociobiologistes laissent entendre qu'une «très large part de la moralité humaine pourrait relever de la génétique[2]». Ces scientifiques n'accordent pas la place qui lui revient à la tendance innée à l'égoïsme, à la méchanceté et à l'indifférence à Dieu; beaucoup de leurs conclusions ne sont donc que pseudo-scientifiques.

Si nous sommes façonnés par nos gènes, modelés par notre environnement, alors, tout ce qu'il nous faut c'est de trouver un moyen de modifier la structure génétique de l'homme ou de remédier aux maux environnementaux qui l'affectent: habitations insalubres, quartiers misérables, pauvreté, chômage et discrimination raciale.

Un auteur bien connu a écrit: «Aujourd'hui, bon nombre de ministres du culte restent froids sur les questions de péché et de repentir des individus et dirigent leurs attaques sur le péché social, dans l'espoir de donner mal au cœur à la société. Ces "attaques" vont du tiède discours sociologique à la vive dénonciation de l'injustice sociale. Cependant, les quartiers misérables, les ghettos et l'exclusion ne disparaîtront pas de notre société à moins qu'ils ne disparaissent du cœur des gens[3].»

En tant que chrétiens, toutefois, nous devons nous attaquer à l'injustice sociale, aux quartiers misérables et aux ghettos. Nous ne pouvons pas nous contenter de dire que ces problèmes sont insurmontables. Il nous faut nous engager pour aider à faire de ce monde un monde meilleur pour les malheureux dont le niveau de vie est incroyablement bas et pour ceux qui vivent sous l'oppression politique. En fin de compte, la société ne peut être changée par la force et la coercition, car, quand c'est le cas, l'homme perd généralement sa liberté. On ne peut la changer que par la transformation complète du cœur humain.

L'homme essaie aussi de se changer par la *chimie*. Les savants ont mis au point des méthodes pour contrôler le comportement au moyen de drogues, qui, dans certains cas, se sont révélées utiles. Les grandes recherches en pharmacologie sont susceptibles de profiter à ceux qui souffrent de maladies mentales. Le danger, c'est que des dictateurs pourraient décider d'utiliser ces drogues pour contrôler des populations entières de gens normaux. Les récits faits par d'anciens prisonniers dans les pays opprimés prouvent que des manipulateurs de l'esprit recourent à des drogues pour influencer le comportement humain.

L'un de ces prisonniers a écrit: «J'ai personnellement été témoin du traitement que subissaient les prisonniers politiques détenus dans les hôpitaux psychiatriques quand ils essayaient de protester en refusant la nourriture ou les "médicaments" qui leur étaient imposés. On les attachait, on leur injectait du soufre paralysant et on les nourrissait de force. [Les régimes totalitaires] ont inventé des moyens puissants de se débarrasser des dissidents. Non seulement ils n'hésitent pas à les enfermer dans des hôpitaux-prisons, mais ils aggravent leur crime en injectant aux prisonniers des substances chimiques destinées à détruire leur personnalité et leur raison[4].»

Des modifications de la chimie de notre organisme peuvent nous être bénéfiques ou nous causer un tort permanent. Tout dépend de qui administre les drogues et du but recherché.

Des manipulateurs de l'esprit tentent de transférer à une personne les capacités intellectuelles d'une autre au moyen de ce qu'ils appellent la «réincarnation artificielle». Une étude publiée en Russie a rapporté que l'un des plus grands physiciens du pays avait fait une expérience portant sur la synchronisation télépathique d'un esprit avec un autre. Le savant expliquait ceci: «Quand cela se produit, le maître peut enseigner à l'étudiant au-delà de la capacité normale de son esprit en court-circuitant le mécanisme de défense du cerveau pour en atteindre les régions normalement vides qui représentent 90 p. 100 de la masse cérébrale.» Le savant poursuit en expliquant qu'il a «réincarné un génie mathématicien européen dans un étudiant en mathématiques[5]».

La *microbiologie* est une autre tentative humaine de régler les problèmes de l'homme. Les réussites toujours plus nombreuses de la transplantation d'organes pourraient à la longue mener à des tentatives pour changer les gens en remplaçant certains organes reliés à la pensée, à la conscience et aux émotions. Cependant, l'évangile de la microbiologie, prodigué par des scientifiques qui sont eux-mêmes pécheurs et qui n'ont accès qu'aux substances du monde matériel, échouera lui aussi.

Bon nombre d'auteurs de science-fiction considèrent leurs *spéculations interplanétaires* comme la seule source de solutions aux problèmes de l'homme. Malheureusement, le péché est trop enraciné dans la nature humaine pour que de telles influences puissent l'en éradiquer. Quand les «solutionneurs» de problèmes ignorent Dieu, ils deviennent eux-mêmes un élément du problème. Les superpuissances se préparent fébrilement en vue d'une guerre spatiale. Comme on a pu le lire dans un éditorial, «celui qui remportera cette course sera maître du monde».

Beaucoup cherchent aujourd'hui dans l'*occultisme* une solution aux problèmes de l'homme. Ils recherchent la connaissance et le pouvoir dans des sources auxquelles la Bible nous enjoint de résister à tout prix. Paul a dit: «Car ce n'est pas contre des adversaires de sang et de chair que nous avons à lutter, mais contre les Principautés, contre les Puissances, contre les Régisseurs de ce monde de ténèbres, contre les esprits du mal qui habitent les espaces célestes.» (Éphésiens 6,12) Le monde occulte n'est source que de terreur et de destruction.

Les méthodes dont use l'homme pour se changer de l'extérieur sont variées et souvent étonnantes.

## Le changement qui vient de l'intérieur

Jésus a dit que Dieu pouvait changer l'homme de l'intérieur. C'était un défi. C'était un ordre. Il n'a pas dit «Ce serait bien si vous naissiez de nouveau» ni «Si cela vous intéresse, vous pouvez naître de nouveau». Jésus a dit: «Il vous faut naître d'en haut.» (Jean 3,7) Cela signifie que nous devons naître de nouveau.

J'ai toujours trouvé étonnant qu'Il ait donné cet ordre à un chef religieux dévot, Nicodème, qui a dû en rester éberlué. Après tout, Nicodème était un homme bon, moral et religieux. Ses voisins disaient sans doute de lui: «C'est un homme extraordinaire. On pourrait sans crainte lui confier sa vie. C'est un grand théologien.» Nicodème jeûnait deux jours par semaine, priait au temple deux heures par jour, payait sa dîme et enseignait la théologie. N'importe quelle Église aurait été contente de le compter parmi ses adhérents. Mais Jésus a dit que toute sa piété et toute sa bonté ne suffisaient pas. Il a dit: «Il vous faut naître d'en haut.»

Malgré ses études et sa situation professionnelle, Nicodème a perçu quelque chose de très spécial en Jésus-Christ — quelque chose qu'il ne comprenait pas. Il a vu en Lui une nouvelle qualité de vie. Nicodème essayait honnêtement de découvrir la nature de cette dimension de la vie.

Quand Jésus a dit à Nicodème que nul ne peut accéder au royaume de Dieu s'il ne naît de nouveau, Il a voulu dire que Nicodème n'avait pas besoin d'approfondir ses études ou d'aiguiser ses normes morales, mais qu'il avait besoin de recevoir une nouvelle qualité de vie — la vie éternelle — qui commence dans ce monde pour se poursuivre dans l'autre.

Un jour, en rentrant de voyage, j'ai trouvé dans ma pile habituelle de courrier deux lettres provenant de deux hôpitaux psychiatriques. Après un seul coup d'œil à l'écriture et une seule lecture des deux lettres, j'ai compris que mes deux correspondants avaient vraiment besoin de soins psychiatriques. Pourtant, chacun parlait du Seigneur Jésus et de tout le réconfort qu'Il leur apportait.

Je n'ai pu m'empêcher de penser à la bonté, à la compréhension et à la compassion infinies de Dieu qui avait choisi de se révéler à des hommes par l'intermédiaire d'une foi enfantine plutôt que par celui de la raison. S'il en était autrement, les petits enfants et les personnes atteintes de déficiences mentales ou de lésions cérébrales n'auraient aucune chance de Le connaître. Et pourtant, le savant brillant, le vrai intellectuel et le génie doivent tous suivre le même cheminement. Comme Jésus a dit dans Matthieu 18,3: «Si vous ne retournez à l'état des enfants, vous n'entrerez pas dans le Royaume des Cieux.»

L'Anglais John Hunter, spécialiste de la Bible, raconte l'histoire d'un jeune homme qui était venu le voir après un sermon sur Jean 3. «De toute évidence, comme Nicodème, il était un homme très instruit; il m'a dit: "Ce que vous avez dit m'a vraiment fait réfléchir; en fait, si j'arrivais à comprendre parfaitement ce que vous avez dit, je deviendrais un chrétien authentique." Il était tout à fait sincère; je l'ai donc interrogé et nous avons bavardé. Il était diplômé d'université; on lui avait appris à réfléchir et à évaluer les faits.

«Je lui ai demandé: "Si vous pouviez vraiment comprendre tout le sens de l'Évangile, vous deviendriez chrétien?" Il a répondu que oui. "Eh bien! songez à ceci, ai-je poursuivi. J'ai un ami missionnaire au Congo. Il travaille auprès des Pygmées. Si, pour devenir chrétiens, il nous fallait comprendre le message de l'Évangile, comment ces gens simples pourraient-ils jamais être bénis?" Sa réponse a été parfaitement honnête: "Je n'avais jamais pensé à cela!" Je lui ai répondu: "Vous, non, mais Dieu, oui. Il n'est pas nécessaire que le message soit compris par l'âme qui cherche, seulement qu'il soit reçu dans une foi simple. Ce n'est pas comprendre l'Évangile qui donne la grâce, c'est y croire et le recevoir." Nicodème a commencé par "connaître", puis il a continué en croyant et en recevant[6].»

Aujourd'hui, parmi ceux qui fréquentent les églises, nombreux sont ceux qui n'ont jamais entendu le message de la nouvelle naissance. Certaines Églises prêchent en faveur des bonnes œuvres, de la réforme sociale ou de l'intervention gouvernementale, mais négligent la seule chose qui pourrait contribuer à régler les problèmes du monde: la transformation de l'homme. Le problème principal de l'homme est d'abord spirituel, puis social. L'homme a besoin d'une transformation complète à partir de l'intérieur.

Il y a quelque temps, j'ai assisté à une conférence historique en Afrique. Tous les pays africains, sauf un, étaient représentés par des délégués. Jamais dans l'histoire il n'y avait eu pareil rassemblement de chrétiens. J'ai entendu les leaders africains exprimer, les uns après les autres, leur appréciation de ce que les missions chrétiennes avaient accompli chez eux, surtout dans les domaines de l'évangélisation, du secours médical et de l'éducation. L'un des conférenciers a dit: «Dans 85 p. 100 du territoire de l'Afrique situé au sud du Sahara, l'éducation a été dispensée par les missions chrétiennes.»

Un évêque anglican d'Angleterre nous a dit: «La fondation de tous les organismes sociaux en Angleterre, à partir de la Société protectrice des animaux, résulte d'une conversion au

Christ et d'un éveil spirituel.» Il nous faut prendre garde de mettre la charrue devant les bœufs.

La Bible revient à maintes reprises sur ce changement dont Jésus a parlé. Par l'intermédiaire du prophète Ézéchiel, Dieu a dit: «Et je vous donnerai un cœur nouveau, je mettrai en vous un esprit nouveau.» (Ézéchiel 36,26) Dans les Actes des Apôtres, Pierre appelle le changement repentance et conversion. Dans son Épître aux Romains, Paul parle de «vivants revenus de la mort» (Romains 6,13), tandis que dans son Épître aux Colossiens, Paul dit: «Vous vous êtes dépouillés du vieil homme avec ses agissements, et vous avez revu le nouveau, celui qui s'achemine vers la vraie connaissance en se renouvelant à l'image de son Créateur.» (Colossiens 3,9-10) Paul dit aussi: «Il nous a sauvés par le bain de la régénération et de la rénovation en l'Esprit Saint.» (Tite 3,5) Pierre affirme que ce changement permet aux hommes de devenir «participants de la divine nature». (2 Pierre 1,4) Dans le catéchisme de l'Église d'Angleterre, ce changement est appelé «une mort au péché et une nouvelle naissance à la justice».

Le contexte du troisième chapitre de Jean nous enseigne que la nouvelle naissance est quelque chose que Dieu fait pour l'homme qui accepte de s'abandonner à Lui. Nous avons déjà vu que la Bible enseigne que l'homme est mort dans ses transgressions et ses péchés, et que ce dont il a le plus besoin, c'est la vie. La semence de la vie nouvelle ne se trouve pas en lui; elle doit venir de Dieu Lui-même.

L'un des grands écrivains chrétiens de notre siècle, Oswald Chambers, a dit: «Notre rôle, en tant qu'ouvriers de Dieu, est d'ouvrir les yeux de l'homme pour qu'il passe lui-même des ténèbres à la lumière; ce n'est pas de salut qu'il s'agit, mais de conversion — le travail d'un être humain éveillé. Je ne crois pas qu'il soit exagéré de dire que la majorité des soi-disant chrétiens ont les yeux ouverts, mais n'ont encore rien reçu [...] Quand un homme naît de nouveau, il sait qu'il doit sa nouvelle naissance à un don du Dieu Tout-Puissant et non pas à sa propre décision[7].»

La conversion, c'est se «détourner» de quelque chose pour se «tourner» vers Dieu. La Bible utilise souvent cette image; Dieu demande à l'homme de se tourner vers lui. Par l'intermédiaire du prophète Ézéchiel, Dieu a dit: «Revenez [...], *détournez* votre face de toutes vos abominations.» (Ézéchiel 14,6, l'italique est de moi) Un autre prophète, Isaïe, écrit: «*Tournez-vous* vers moi et vous serez sauvés, tous les confins de la terre, car je suis Dieu, il n'y en a pas d'autre.» (Isaïe 45,22, l'italique est de moi)

La nouvelle naissance n'est pas une simple réforme, c'est une transformation. Les gens prennent souvent la résolution de s'améliorer, de changer, mais ne la tiennent pas. La Bible nous enseigne que, grâce à la nouvelle naissance, nous pouvons accéder à un monde nouveau.

La Bible recourt à de nombreux contrastes pour exprimer le changement qui s'opère en l'homme quand il naît de nouveau: convoitise et sainteté, ténèbres et lumière, mort et résurrection, étranger au Royaume des Cieux et citoyen de ce Royaume. La Bible nous enseigne que, chez celui qui est né de nouveau, la volonté, les affections, les objectifs de vie et l'attitude sont modifiés. Il a un nouveau but ultime. Il reçoit une nature nouvelle et un cœur nouveau. Il devient une nouvelle créature.

## Avant et après

La Bible est remplie de personnages de toutes les conditions sociales qui ont été transformés par leur rencontre avec Jésus-Christ. Le Christ a rencontré une Samaritaine, prostituée et paria dans sa propre ville. Pour éviter de rencontrer d'autres femmes, elle est allée puiser son eau sous le soleil torride de midi, sachant qu'aucun autre villageois ne se trouverait au puits. Mais elle y a rencontré le Christ et elle a immédiatement été transformée en une nouvelle personne. En fait, elle est devenue une espèce de missionnaire qui est retournée dans sa ville, où elle était méprisée et rejetée, pour parler du Christ aux villageois. On peut lire dans la Bible: «Un bon nombre de Samaritains de cette ville crurent en lui à cause de la parole de la femme, qui attestait: "Il m'a dit tout ce que j'ai fait."» (Jean 4,39)

André était un homme tout à fait ordinaire qui a réagi promptement au Christ. En fait, il s'est enflammé dès qu'il L'a rencontré. Il s'est alors empressé de trouver son frère pour lui porter la merveilleuse nouvelle du Messie. André n'a peut-être pas été un évangéliste flamboyant, mais, partout où il est fait mention de lui dans la Bible, on voit que son message porte fruit.

En cette époque de lourds impôts, la période des déclarations de revenus n'est jamais accueillie avec enthousiasme. Il n'en était pas autrement à l'époque de Jésus. Zachée, collecteur d'impôts pas très honnête, escroquait les gens; mais quand il a rencontré Jésus, tout cela a changé. Il s'est repenti et a voulu réparer ses torts: «Voici Seigneur, je vais donner la moitié de mes biens aux pauvres, et si j'ai extorqué quelque chose à quelqu'un, je lui rends le quadruple.» (Luc 19,8)

Un jeune intellectuel, Saül, se rendait à Damas pour persécuter les chrétiens quand il a rencontré Jésus-Christ. Aujourd'hui encore, on dit «trouver son chemin de Damas» quand on parle de conversion. Saül a été changé à tout jamais. Il est devenu le grand apôtre Paul. Il a souvent fait allusion à sa conversion, précisant même le jour et l'heure où il a rencontré le Christ.

À la Pentecôte, un changement spectaculaire s'est produit chez trois mille personnes qui sont nées de nouveau ce jour-là. Le matin, elles étaient perdues, ignorant leur raison d'être, se sentant coupables de la mort du Christ. Certaines craignaient les autorités laïques, d'autres les autorités religieuses. Mais, le soir venu, elles sont toutes nées au Royaume de Dieu. Chacune était passée de la mort à la vie. «En vérité, en vérité, je vous le dis, celui qui écoute ma parole et croit à celui qui m'a envoyé a la vie éternelle et ne vient pas en jugement, mais il est passé de la mort à la vie.» (Jean 5,24)

Quiconque croit que Jésus est son Sauveur personnel et son Seigneur peut naître de nouveau dès maintenant. Il ne faut pas recevoir le salut à la mort ou après la mort, mais dès maintenant. «Le voici maintenant le moment favorable, le voici maintenant le jour du salut.» (2 Corinthiens 6,2)

## La nouvelle naissance, c'est pour maintenant

L'impact des publicités pour les régimes amaigrissants ou les chirurgies esthétiques dans lesquelles on montre «l'avant et l'après» ne peut égaler celui des témoignages qu'ont faits les nombreuses personnes qui sont nées de nouveau, que ce soient des magnats de l'industrie ou des prisonniers de droit commun.

Une jeune femme nous a écrit: «Jusqu'à janvier dernier, j'étais étrangère à Jésus. J'étais une jeune femme troublée et centrée sur elle-même, voleuse, ivrogne, droguée et adultère. Croyant que personne ne saurait répondre à mes questions cyniques, et par curiosité, je me suis rendue à une séance d'étude biblique. Ce soir-là, j'ai commencé sincèrement à m'intéresser à la Bible. Après avoir étudié les Écritures pendant des mois, j'ai senti mon cœur touché par le verset 3,15 de Jean, et j'ai confié ma vie au Christ. Je ne m'étais jamais doutée qu'un tel bonheur pouvait exister. Dieu nous montre comment aimer et Il nous fait connaître ce que c'est de se sentir aimés. C'était Lui que j'avais recherché depuis le début de mon adolescence. C'était Lui la solution que je n'étais pas arrivée à trouver. Il m'avait semblé que les drogues, l'alcool, le sexe et le vagabondage arriveraient à me libérer, mais ce n'étaient que des pièges. Le péché est le piège qui m'a conduite à des sentiments de confusion, de tristesse et de culpabilité, et presque au suicide. Le Christ m'a libérée. Je trouve stimulant le fait d'être chrétienne, parce que j'ai toujours un nouveau défi à relever, toujours quelque chose à apprendre. Maintenant, chaque matin, je suis heureuse de me réveiller. Dieu m'a renouvelée.»

Le chanteur Johnny Cash déclare: «Il y a quelques années, j'étais dépendant des drogues. Je détestais me réveiller le matin. Aucune joie, aucune paix, aucun bonheur dans ma vie. Puis, un jour, dans mon impuissance, j'ai remis ma vie entre les mains de Dieu. Depuis, j'ai hâte de me lever le matin pour étudier ma Bible. Il arrive que des paroles tirées des Écritures surgissent dans mon cœur. Cela ne signifie pas que tous mes problèmes sont résolus, ni que j'ai atteint le stade de la perfection. Cependant, ma vie a changé du tout au tout; je suis né de nouveau.»

# CHAPITRE 12

# La nouvelle naissance n'est pas qu'un sentiment

Un homme, que l'on avait convaincu d'assister à un grand rassemblement évangélique, m'a raconté ceci:

«Je crois que c'est là que j'ai entendu pour la première fois de ma vie les prétentions de Jésus-Christ présentées d'une façon si claire et si autorisée.

«À la fin du sermon, le prêcheur a invité ceux qui voulaient en apprendre davantage à s'avancer vers lui. Je me suis approché de lui, quelqu'un nous a présentés, et nous avons bavardé un peu. D'autres gens voulaient eux aussi lui poser des questions; je me suis donc dirigé vers la sortie, captivé par ce qu'il m'avait dit, mais encore dans un épais brouillard.

«Juste au moment où j'allais franchir le seuil, j'ai rencontré un homme qui m'a regardé droit dans les yeux et m'a demandé: "Êtes-vous un chrétien?" Je me suis dit que c'était là une bien étrange question. Souriant aussi gentiment que possible, je lui ai répondu que je croyais bien en être un. Une lueur dans le regard, il a réitéré sa question avec insistance: "Êtes-vous un chrétien?" Je me suis dit qu'il s'agissait sans doute d'un illuminé. Je me prêterais à son jeu, puis je filerais à l'anglaise.

— Eh bien! j'essaie de l'être.

— Avez-vous jamais essayé d'être un éléphant?

«Souriant devant mon air ahuri, il m'a pris le bras et m'a conduit à un fauteuil. Il m'a dit que même si j'essayais de me transformer en chrétien, je n'y arriverais jamais, pas plus que je n'arriverais jamais à me transformer en éléphant. Il m'a ensuite expliqué ce qu'était le christianisme dans le Nouveau Testament. Que Jésus-Christ était mort à *ma* place. Que c'était Lui qui avait payé le prix de *mes* péchés. Tel que j'étais, j'étais condamné devant le Dieu Saint; j'avais besoin d'un Sauveur; seul Jésus pouvait me sauver. Je pouvais trouver en Lui le pardon du passé. De plus, par sa résurrection, Il me donnait le pouvoir de vivre le genre de vie que jusque-là j'avais considérée comme tout à fait hors de ma portée.

«Quelle offre extraordinaire! Si le Dieu vivant demandait vraiment à entrer dans ma vie misérable et souillée, à prendre en main ce que je me contentais de gaspiller et de ternir — comment oserais-je Le rejeter! "Je suis à ta porte et je frappe."

«J'ai ouvert toute grande la porte. Il a tenu parole.»

Cet homme venait de naître de nouveau. Sa situation s'était renversée. Auparavant, il avait cru être un chrétien, mais il n'avait jamais pris d'engagement personnel envers Jésus-Christ.

Jésus a fait les choses si simples; c'est nous qui les avons compliquées. Il a parlé aux hommes en employant des phrases courtes, des mots de tous les jours, en illustrant ses messages au moyen de paraboles et d'histoires.

Au geôlier philippien qui lui avait demandé comment faire pour se sauver, Paul a répondu: «Crois au Seigneur Jésus, et tu seras sauvé, toi et les tiens.» (Actes 16,31)

C'est une vérité si simple qu'il arrive souvent qu'on la néglige. Même si le message de l'Évangile est diffusé — surtout en Amérique — à la radio et à la télévision, même s'il est chanté dans les rues, présenté en chaire et expliqué dans des livres et des tracts, des millions d'hommes le négligent. Tout ce qui est nécessaire pour naître de nouveau, c'est de se repentir pour ses péchés et d'accepter personnellement Jésus comme son Seigneur et son Sauveur. Nul besoin de mettre de l'ordre dans sa vie, de renoncer à quelque habitude ou de se remettre d'aplomb: il suffit d'aller au Christ tel que l'on est. C'est pourquoi, dans nos Campagnes d'évangélisation, nous chantons le cantique *Tel que je suis*.

## Mot clé: le repentir

Dans le Nouveau Testament, Pierre dit: «Repentez-vous donc et *convertissez-vous*, afin que vos péchés soient effacés, et qu'ainsi le Seigneur fasse venir le temps du répit.» (Actes 3,19, l'italique est de moi) Quelqu'un ne peut pas revenir vers Dieu pour se repentir ou même pour croire, sans l'aide divine. C'est Dieu qui doit faire revenir l'homme. Dans la Bible, on trouve plusieurs exemples illustrant cette vérité: «Fais-moi revenir, que je revienne, car tu es Yahvé, mon Dieu!» (Jérémie 31,18)

Pour plusieurs, le mot «repentir» est démodé. Il ne semble pas avoir sa place dans le vocabulaire du XXᵉ siècle. Mais le repentir est l'un des deux éléments essentiels de la conversion; tout ce qu'il signifie, c'est que nous reconnaissons ce que nous sommes, et que nous sommes disposés à changer de sentiment par rapport au péché, par rapport à nous-mêmes et par rapport à Dieu.

Le repentir, c'est avant tout la reconnaissance de notre péché. Quand nous nous repentons, nous reconnaissons que nous sommes pécheurs et que le péché implique une culpabilité personnelle devant Dieu. Cette culpabilité ne signifie pas que nous nous méprisions nous-mêmes d'une façon humiliante; elle signifie que nous nous voyons nous-mêmes comme Dieu nous voit et que nous nous disons: «Mon Dieu, aie pitié du pécheur que je suis.» (Luc 18,13) Ce n'est pas seulement la culpabilité collective de la société que nous reconnaissons — il est trop facile de rejeter notre culpabilité personnelle sur les gouvernements, le système scolaire, l'Église ou le foyer. La Bible nous enseigne que, lorsque nous atteignons l'âge de raison (généralement vers 10 ou 11 ans), Dieu nous considère comme des adultes qui font des choix moraux et spirituels dont nous devons rendre compte devant l'Éternel. Chacun de nous est souillé d'une culpabilité personnelle devant Dieu. Dès notre conception, nous avons une tendance à pécher; ensuite, nous devenons pécheurs par choix et, finalement, pécheurs par habitude. C'est pourquoi la Bible dit que nous avons tous péché et que nous nous sommes tous éloignés de Dieu.

Chaque être humain sur terre, quelles que soient sa race, sa langue et sa culture, a besoin de naître de nouveau. Nous sommes coupables du péché (singulier) qui s'exprime par des péchés (pluriel). Nous transgressons les lois de Dieu et nous nous rebellons contre Lui parce que nous sommes pécheurs par nature. C'est à cette maladie du péché (singulier) que le Christ s'est attaqué sur la croix.

Les racines des problèmes individuels et collectifs de l'homme sont enfouies profondément dans son cœur. Nous sommes une race humaine malade. Cette maladie ne peut être traitée que par le sang du Christ, tout comme dans l'Ancien Testament le sang était répandu sur les autels, en attendant le jour où Jésus-Christ viendrait et serait «l'agneau de Dieu, qui enlève le péché du monde». (Jean 1,29) En effet, Jésus est devenu le bouc émissaire cosmique de l'humanité. Il a été accablé de tous nos péchés, c'est pourquoi Dieu peut maintenant nous pardonner. C'est pourquoi Il peut nous infuser une nouvelle vie — que nous appelons régénération ou nouvelle naissance.

Quand nous considérons les attributs de Dieu et comprenons à quel point nous sommes loin de sa perfection, nous ne pouvons que reconnaître notre nature de pécheur. L'apôtre Pierre avait commis des actes et entretenu des pensées répréhensibles; mais Pierre ne s'est pas contenté de reconnaître mentalement et physiquement ses errements; il a pris conscience de sa nature de pécheur: «Éloigne-toi de moi, Seigneur, car je suis un homme pécheur!» (Luc 5,8) Vous aurez remarqué qu'il n'a pas dit «je pèche» mais bien «je suis un homme pécheur».

Job a vu à quel point il était corrompu par rapport à la perfection de Dieu et il a dit: «Je ne te connaissais que par ouï-dire, mais maintenant mes yeux t'ont vu. Aussi je me rétracte et m'afflige sur la poussière et sur la cendre.» (Job 42,5-6) Job s'est comparé à Dieu et s'est repenti; il a reconnu ce qu'il était devant Dieu.

Le repentir, c'est le vrai *regret* du péché commis. Le regret est une émotion, et nous sommes des créatures dont l'intensité du regret varie beaucoup d'un individu à l'autre. Cependant, le repentir sans regret est vide. L'apôtre Paul a dit: «Je m'en réjouis maintenant, non de ce que vous avez été attristés, mais de ce que cette tristesse vous a portés au repentir. Car vous avez été attristés selon Dieu, en sorte que vous n'avez, de notre part, subi aucun dommage.» (2 Corinthiens 7,9)

Le repentir s'accompagne d'un changement de but, d'un détournement délibéré du péché. S'il nous fallait nous repentir sans l'aide de Dieu, nous serions presque impuissants. Les Écritures nous enseignent que nous sommes morts dans nos transgressions et dans nos péchés. Un mort ne peut rien; par conséquent, nous avons besoin de l'aide de Dieu, même pour notre repentir. Le repentir peut exiger quelquefois une «restitution». Si nous avons volé, menti ou triché au détriment des autres, il nous faut redresser le tort dans la mesure du possible.

J'ai reçu des centaines de lettres de correspondants qui disent que des gens, professant être «nés de nouveau», leur avaient restitué l'argent qu'ils leur avaient volé. De nombreux voleurs à l'étalage sont nés de nouveau et ont senti qu'ils devaient retourner au magasin pour avouer leur larcin au gérant et faire restitution.

À l'époque où ma femme conseillait Joe Medina (qui avait succombé à la tentation et avait aidé un ami à dévaliser une station-service), elle lui avait dit que son repentir ne serait jamais sincère s'il ne faisait pas amende honorable. Il a donc confessé son crime. Tout l'argent qu'il a gagné durant l'été suivant a servi à rembourser la somme volée. Le propriétaire de la station-service lui a pardonné. Aujourd'hui, Joe a terminé ses études bibliques et est devenu ministre du culte.

En 1949, Jim Vaus, criminel connu, a trouvé le Christ. Il a passé plusieurs semaines à retrouver les gens qu'il avait offensés, blessés ou volés. Il leur a rendu tout ce qu'il a pu et il a demandé pardon à ceux qu'il avait offensés.

Ce genre de restitution est plutôt rare de nos jours; pourtant les Écritures la préconisent. Elle aide à sceller notre repentir. Elle montre aux gens que nous avons offensés, et au monde en général, la profondeur de notre engagement envers Dieu.

Quand les émotions vont à l'encontre du désir de se détourner du péché, l'hypocrisie entre dans la vie du croyant, et les doutes commencent à germer. Tant de choses dans la Bible semblent si difficiles à croire. Devenus de nouvelles créatures dans le Christ, nous nous trouvons projetés dans une expérience joyeuse, exaltante et stimulante qui nous transporte émotivement pendant un certain temps. Mais des doutes peuvent commencer à nous tourmenter, puis s'intensifier à mesure que nos interrogations se multiplient. «Comment puis-je accepter de transformer ma vie dans le Christ quand Il pourrait m'inciter à faire ce que je ne veux pas faire?»

Quand une jeune femme riche, considérée comme une personnalité par sa communauté, s'est convertie, la première personne à qui elle a fait part de sa conversion était une amie de longue date, qui lui a demandé: «Eh bien! Dorothy, qu'est-ce que tu vas faire maintenant, partir en Afrique comme missionnaire?»

Dorothy a lutté contre ses propres émotions, puis, s'en remettant à la volonté de Dieu, elle a répondu: «Si c'est ce que Dieu veut, c'est là que j'irai.»

Il n'est toutefois pas si facile pour la plupart d'entre nous d'accepter de nous en remettre à Dieu quand il s'agit de nos actions et de notre orientation.

Une vieille femme merveilleuse, auteur de l'un des classiques de la littérature chrétienne, a raconté l'histoire d'un jeune homme d'une intelligence supérieure. Celui-ci éprouvait beaucoup de difficulté dans sa nouvelle expérience de chrétien, relativement à cette question de volonté. Il doutait de tout et, sur le plan émotionnel, rien ne lui semblait vrai. On lui a donné ce conseil: «"La volonté de l'homme est en réalité l'essence de l'homme; [...] ce que sa volonté décide, il le fait. Il vous suffit donc de vous en remettre à la volonté de Dieu, de décider de croire ce qu'Il dit [dans la Bible], parce qu'Il le dit, et d'ignorer les émotions qui vous font sembler la Bible irréelle. Tôt ou tard, Dieu ne manquera pas de répondre à une telle foi par sa révélation."

«Le jeune homme est resté silencieux pendant un instant, puis a dit solennellement: "Je comprends. Je ferai comme vous dites. Je ne peux contrôler mes émotions, mais ma volonté, oui. La vie nouvelle me semble désormais possible s'il me suffit de contrôler ma volonté. Je peux abandonner ma volonté à Dieu, et je le fais[1]."»

Le repentir biblique est le carburant qui propulse notre vie, Dieu étant aux commandes. À moins d'utiliser ce carburant, nous restons prisonniers de la terre, amarrés par notre ego, notre orgueil, nos problèmes et notre culpabilité. Les jeunes gens sont souvent enchaînés à cause de l'absence d'un but, de l'incertitude et même de la culpabilité, tandis que les personnes plus âgées craignent la vieillesse et la mort. Le vrai repentir peut libérer les uns comme les autres.

Ainsi, le repentir est d'abord et avant tout nécessaire à la nouvelle naissance. Premièrement, il implique la simple reconnaissance de ce que nous sommes devant Dieu, des pécheurs éloignés de sa gloire, deuxièmement, le regret sincère du péché et, troisièmement, la volonté de nous en détourner.

## Mot clé: la foi

Nous avons vu que se convertir, c'est se détourner de quelque chose; c'est ce qui s'appelle le repentir. C'est aussi se tourner vers autre chose; c'est ce qui s'appelle la foi.

Premièrement, la foi, c'est croire que le Christ était Celui qu'Il a dit être. Deuxièmement, c'est croire qu'Il peut faire ce qu'Il a prétendu pouvoir faire — Il peut me pardonner et entrer dans ma vie. Troisièmement, la foi est un acte de confiance et d'engagement, par lequel on ouvre à Dieu la porte de son cœur. Dans le Nouveau

Testament, les mots «foi» et «croyance» traduisent le même mot grec et sont donc interchangeables.

Pour mettre sa foi dans le Christ, il faut d'abord faire un choix. Les Écritures disent: «Qui croit en lui n'est pas jugé; qui ne croit pas est déjà jugé, parce qu'il n'a pas cru au Nom du Fils unique de Dieu.» (Jean 3,18) Celui qui croit n'est pas condamné, tandis que celui qui ne croit pas l'est. Pour ne pas être condamné, vous devez faire un choix — celui de croire.

L'importance de la foi est ainsi évidente. La Bible dit que, sans la foi, il est impossible de plaire à Dieu. Mais qu'est-ce que c'est que croire? La réponse est simple. C'est «s'engager» envers le Christ, «s'abandonner» à Lui. La foi, c'est la réponse à l'offre de miséricorde, d'amour et de pardon que fait Dieu. Dieu a pris l'initiative et a fait tout ce qu'il fallait pour que l'offre de salut soit possible. Quand le Christ a incliné la tête sur la croix et a dit «C'est achevé» (Jean 19,30), c'est que tout était achevé. Le plan de Dieu pour notre réconciliation et notre rédemption était achevé en son Fils. Mais ce n'est qu'en croyant en Jésus — en s'engageant envers Lui et en s'abandonnant à Lui — que nous sommes sauvés.

Croire, ce n'est pas simplement sentir qu'on sera sauvé, mais en avoir l'assurance. Vous vous regardez peut-être dans le miroir en vous disant: «Je ne me sens pas sauvé; je ne me sens pas pardonné.» Ne vous fiez pas à vos sentiments pour trouver l'assurance de votre salut. Le Christ l'a promis, et Il ne peut mentir. La foi est un engagement délibéré envers Jésus-Christ. Ce n'est pas s'accrocher à une vague idée. C'est un acte de confiance en l'Homme-Dieu, en Jésus-Christ.

Dans le Nouveau Testament, on ne trouve jamais le mot «foi» au pluriel. La foi chrétienne n'est pas l'acceptation d'une longue série de prescriptions. C'est l'abandon unique du cœur et de l'esprit à une seule personne, Jésus-Christ. La foi ne consiste pas à croire tout ou n'importe quoi. Elle consiste à ne croire qu'en une seule personne, celle qui est décrite dans les Écritures, Jésus-Christ.

La foi ne s'oppose pas à la raison, mais implique une prémisse logique, celle de croire que Dieu, étant l'Être supérieur, peut nous sauver.

Francis Schaeffer, un chrétien brillant vivant en Suisse, explique que non seulement la foi est logique, mais que le manque de foi est illogique. Il écrit: «L'homme a été créé à l'image de Dieu. Par conséquent, du point de vue du Dieu personnel, ce n'est pas entre Lui et l'homme que se trouve le gouffre, mais entre l'homme et tout le reste. En revanche, du point de vue du Dieu infini, l'homme est aussi éloigné de Lui que de l'atome ou de tout autre objet fini de l'univers. Ainsi, nous avons la réponse à la dualité de l'homme qui est fini et pourtant personnel.

«Cela n'est pas la meilleure explication de la vie; c'est la *seule*. C'est pourquoi nous pouvons adhérer au christianisme en toute intégrité intellectuelle. La seule explication de l'univers, c'est que le Dieu personnel et infini existe vraiment[2].»

La foi dans le Christ est volontaire. On ne peut imposer la foi à l'homme. Dieu ne pénétrera pas de force dans votre vie. Le Saint-Esprit fera tout ce qui est possible pour vous déranger, vous attirer, vous aimer — mais la foi demeure un choix personnel. Dieu n'a pas seulement donné son Fils sur la croix, où le plan de rédemption a été achevé; Il a donné sa Loi, formulée dans les Dix Commandements et dans le Sermon sur la montagne pour vous montrer que vous avez besoin du pardon; Il a donné le Saint-Esprit pour vous convaincre de ce besoin. Le Saint-Esprit vous attire vers la croix. Mais, malgré tout cela, la décision finale d'accepter le pardon divin ou de continuer d'être perdu vous appartient.

La foi fait appel à la personne tout entière. Dans son livre, *Knowing God*, J. I. Packer écrit: «Connaître Dieu relève d'un engagement personnel de l'esprit, de la volonté et du sentiment. Autrement, il ne s'agirait pas d'une relation personnelle complète[3].»

La foi n'est donc pas qu'une simple réaction émotionnelle, une connaissance intellectuelle ou une décision de la volonté; elle englobe le sentiment, la raison et la volonté.

## Étapes menant à la conversion

Nous avons vu que la conversion se produit quand nous nous repentons et quand nous faisons confiance à Jésus-Christ. Mais quel est le processus qui se déroule quand nous approchons du moment de la conversion? Quelle en est la durée? Est-il spectaculaire? Ma réponse: je ne le sais pas. Si tout le monde avait la même réaction, on pourrait utiliser une quelconque formule dont les résultats seraient déterminés d'avance. Mais ce n'est pas le cas.

Cela est évident si nous nous arrêtons un moment pour réfléchir à Dieu. Premièrement, au moment de la conversion, Dieu Lui-même agit. C'est Lui qui nous convertit quand nous nous repentons et que nous croyons au Christ. «Le salut vient du Seigneur.» Deuxièmement, son aide se fait sentir longtemps avant ce moment. Comme nous l'avons vu, durant la période qui précède la conversion, Il nous prépare au repentir en faisant intervenir le Saint-Esprit et en nous incitant à vouloir nous détourner de nos péchés. Il nous prépare aussi à la foi en nous montrant à quel point le Christ est grand et miséricordieux.

Les questions de la durée du processus de conversion et de l'intensité des émotions qui l'accompagnent sont, par conséquent, très personnelles. Dieu regarde chacun de nous d'un œil différent, parce que nous sommes tous différents. Il vous rejoindra tel que vous êtes, comme Il me rejoindra tel que je suis. Bien sûr, le but qu'Il recherche pour chacun de nous est le même: une nouvelle naissance. Mais pour nous aider à arriver à ce moment de conversion, Il agit avec chacun d'une manière aussi personnelle que le berger qui connaît chacun de ses moutons.

Si vous n'êtes pas encore né de nouveau, la simple lecture du présent ouvrage pourrait être le moyen que Dieu a choisi pour vous mener vers une décision.

Dieu connaît les besoins de votre cœur. En lisant dans la Bible le processus que Dieu a choisi pour différentes personnes avant leur conversion, nous constatons qu'Il comprenait leur individualité. Par exemple, dans le premier chapitre de l'Évangile de Jean, Jésus a parlé à plusieurs hommes qui n'étaient pas encore convertis. À André, qui Le suivait avec un ami, Il a demandé: «Que cherchez-vous?» (Jean 1,38) et Il les a invités à passer la journée avec Lui à l'endroit où Il demeurait. André avait besoin d'une conversation tranquille pour se rendre compte de son péché et avoir confiance en Jésus.

André avait amené avec lui son frère Simon, dont le caractère était mou. Le Christ s'est comporté tout autrement avec lui. Jésus l'a regardé d'un air grave et lui a dit: «Tu es Simon, le fils de Jean; tu t'appelleras Céphas (ce qui veut dire Pierre).» Jésus a ainsi révélé sa majesté en annonçant au jeune homme que son caractère deviendrait aussi solide que la pierre. (Jean 1,42) Pour se convertir, Pierre avait besoin de voir le péché qu'il commettait en ne se fiant qu'à lui-même, ce qui lui donnait une personnalité changeante, et il avait besoin de croire que le Christ était Celui qui possédait le pouvoir et l'amour nécessaires pour le transformer.

Le lendemain, Jésus a rencontré Philippe et l'a traité différemment. Il lui a simplement dit: «Suis-moi!» Contrairement à André et à Pierre, Philippe avait besoin d'un ordre direct. Philippe a amené à Jésus Nathanaël, un homme de prières à la recherche d'une expérience avec Dieu. Jésus S'est adapté à ses besoins particuliers en lui disant: «En vérité, en vérité, je vous le dis, vous verrez le ciel ouvert et les anges de Dieu monter et descendre au-dessus du Fils de l'homme.» (Jean 1,51)

André, Pierre, Philippe et Nathanaël étaient différents; c'est pourquoi Dieu ne les a pas tous traités de la même manière. Chacun d'eux avait besoin d'une relation personnelle avec le Christ. C'est essentiellement ce qu'est la nouvelle naissance. Certains d'entre eux ont mis du temps à comprendre ce qui se passait. Il leur a fallu des mois d'enseignement dispensé par Jésus Lui-même. Voilà pourquoi j'incite vivement les nouveaux convertis à consacrer beaucoup de temps à l'étude de la Bible et à la prière avant de confesser le Christ publiquement. Les Écritures nous mettent en garde contre les «novices». Involontairement, nous avons souvent durant nos Campagnes commis l'erreur de faire confesser le Christ par de nouveaux convertis qui n'avaient pas encore suffisamment grandi dans la grâce et la connaissance du Christ. Grâce à nos longues années d'expérience, nous sommes maintenant plus prudents à cet égard.

Après sa conversion, Paul a consacré trois années à des études en Arabie. Dieu a mis quarante ans à former Moïse dans le désert avant qu'il fasse sa première apparition publique. Aujourd'hui, il arrive souvent que l'on entende un ancien prisonnier faire, quelques semaines après sa libération, la déclaration publique de sa conversion au Christ. Quelquefois, cette confession est suivie d'une grande tragédie: le soi-disant converti n'était pas vraiment né de nouveau. Il avait simplement confessé le Christ publiquement, sans être disposé à payer le prix de la foi.

Je connais un jeune homme qui semblait s'être glorieusement converti au cours de l'une de nos Campagnes, et je crois qu'il l'avait fait. Il a traversé une période plutôt longue pour se débarrasser de sa dépendance aux drogues et pour se familiariser avec les Écritures. Nous l'avons incité à fréquenter l'école biblique, ce qu'il a fait pendant un an. Sa confession du Christ était si stimulante que, des quatre coins du pays, on l'invitait à venir rendre publiquement son témoignage. Avant longtemps, toute cette attention l'a fait régresser, à tel point qu'il a quitté femme et enfants. Je suis heureux de rapporter qu'il est entré de nouveau en communion avec Dieu, qu'il a pris conscience de ses péchés et de ses erreurs et qu'il est retourné à l'école biblique pour terminer ses études.

Que se passera-t-il au moment où nous serons sur le point de naître de nouveau? Tout dépendra de notre propre environnement, de notre tempérament, de nos besoins intérieurs et de nos espoirs. C'est ainsi que Dieu agit.

## Durée des étapes

La durée du processus qui mène à la conversion et l'intensité des émotions qui l'accompagnent varient aussi selon les individus. Certains traverseront une crise émotionnelle dont les symptômes seront semblables à ceux d'un conflit mental. Ils pourraient connaître de vives émotions et même verser des larmes de repentir. C'est que le Saint-Esprit les convainc de leur péché. C'est leur façon de Lui répondre. L'expérience émotionnelle varie d'un individu à l'autre. Quand je suis allé vers le Christ, beaucoup de gens pleuraient autour de moi. Quant à moi, mes yeux étaient secs, et je me demandais si mon engagement envers le Christ était authentique.

J'ai appris depuis que bien des gens ont connu une conversion encore plus tranquille, dont le processus a été plus court que dans mon cas. Il arrive que quelqu'un, en lisant la Bible ou en chantant un cantique, y trouve une simple phrase qu'il applique à lui-même à ce moment précis. Il arrive aussi que quelqu'un, en entendant un sermon, en accepte le message et croie au Christ, sans stress ni conflit. Pour ces gens, la conversion tranquille est aussi authentique que les conversions mouvementées et remplies d'émotions.

Le seizième chapitre des Actes des Apôtres relate deux conversions tout à fait différentes. Lydie, négociante à Philippes, s'intéressait assez à Dieu pour aller prier près de la rivière, où elle a entendu Paul prêcher. Le Seigneur lui a ouvert le cœur; elle s'est convertie sans grands éclats, sans manifestation d'émotions spectaculaires.

Il y a eu aussi le cas du geôlier de Philippes, où Paul avait été jeté en prison. Il s'est produit un fort tremblement de terre qui a ébranlé les fondements de la prison. Pris de panique, le geôlier était sur le point de se tuer, pensant que les prisonniers s'étaient évadés. Au moment où il sortait son glaive, il a entendu l'apôtre Paul crier: «Ne te fais aucun mal, car nous sommes tous ici.» (Actes 16,28)

Le geôlier n'en croyait pas ses oreilles: pourquoi les prisonniers ne s'étaient-ils pas échappés? Tout tremblant, il a demandé de la lumière. Il a regardé Paul et Silas, ses prisonniers, puis s'est jeté à leurs pieds, en leur demandant: «Que me faut-il faire pour être sauvé?» Paul lui a répondu: «Crois au Seigneur Jésus, et tu seras sauvé, toi et les tiens.» Le geôlier s'est converti à cet instant, dans les ruines de la prison.

Jésus compare l'expérience de la conversion au souffle du vent: «Le vent souffle où il veut, et tu entends sa voix, mais tu ne sais pas d'où il vient ni où il va. Ainsi en est-il de quiconque est né de l'esprit.» (Jean 3,8)

Le vent peut être douce brise, comme il peut être violent ouragan. Ainsi en est-il de la conversion, tantôt tranquille et silencieuse, tantôt mouvementée et susceptible de bouleverser la vie dans une tornade d'émotions.

Les convertis peuvent-ils donner le moment précis — telle heure, tel jour, telle année — de leur nouvelle naissance? Je connais des gens qui peuvent dire avec précision et assurance: «C'est le jour de mon anniversaire de naissance spirituelle.» Cependant, j'en connais d'autres qui sont aujourd'hui en communion avec le Christ et qui ne sauraient dire à quel moment ils se sont délibérément engagés envers Lui et qui n'ont aucun souvenir d'une quelconque période où ils ne L'auraient pas aimé et où ils n'auraient pas eu confiance en Lui. Ma femme est l'une des grandes chrétiennes de cette catégorie. Cependant, à mon avis, ces cas sont exceptionnels. Les Écritures nous enseignent que la foi est un acte de la volonté. Par conséquent, que l'on s'en souvienne ou non, il y a eu un moment où l'on a franchi la frontière qui sépare la mort de la vie.

Quoi qu'il en soit, ce qui compte aujourd'hui, ce n'est pas de savoir «quand» la conversion s'est produite, mais «si» elle a eu lieu. Nous sommes souvent incapables de déterminer le moment précis où la nuit devient jour, mais nous savons quand il fait jour. Alors, la grande question à laquelle doit répondre celui qui n'a jamais, par un acte de volonté, accepté le Christ comme son Seigneur et son Sauveur est celle-ci: «Est-ce que je vis aujourd'hui en communion avec le Christ?»

## Comment recevoir le Christ

Peu de temps après que j'eus reçu le Christ, quelqu'un m'a remis un petit tract d'un auteur anglais, intitulé *Quatre vérités que Dieu veut que vous connaissiez.* Dans mes premiers sermons, je me suis souvent servi de ces quatre points. Des années plus tard, Bill Bright, de Campus Crusade, a élaboré *Les quatre lois spirituelles*, que nous avons utilisées de par le monde pour aider les gens à savoir comment naître de nouveau. Notre propre organisation a ensuite mis au point ce que nous appelons *Les quatre étapes vers la paix avec Dieu*, tirées en grande partie d'un de mes livres intitulé *La paix avec Dieu*. Je ne crois pas, toutefois, qu'il existe de jolie petite formule ou de recette infaillible. Ce que je crois, c'est que ces outils ont aidé les gens à comprendre comment ils peuvent recevoir le Christ.

Voici quelques principes directeurs tirés de la Bible qui vous aideront à accepter le Christ comme votre Seigneur et votre Sauveur. Dans les chapitres précédents, nous avons parlé du besoin ressenti, de la direction à prendre et des étapes à franchir. Vous en êtes peut-être arrivé à vos propres conclusions. Néanmoins, permettez-moi de résumer ce que vous devez faire.

*Premièrement*, vous devez reconnaître ce que Dieu a fait: «Dieu a tant aimé le monde qu'il a donné son Fils unique, afin que quiconque croit en lui ne se perde pas, mais ait la vie éternelle.» (Jean 3,16) Dans ce verset, remplacez «le monde» et «quiconque» par votre propre nom. «[Le] Fils de Dieu [...] m'a aimé et s'est livré pour moi.» (Galates 2,20)

*Deuxièmement*, vous devez vous repentir. Jésus a dit: «Si vous ne vous repentez pas, vous périrez tous.» (Luc 13,3) Il a dit aussi: «Repentez-vous et croyez à l'Évangile.» (Marc 1,15) Il ne suffit pas de regretter le passé; se repentir, c'est se détourner de ses péchés.

*Troisièmement*, vous devez recevoir le Christ comme Sauveur et Seigneur. «Mais à tous ceux qui l'ont accueilli, il a donné pouvoir de devenir enfants de Dieu, à ceux qui croient en son nom [...]» (Jean 1,12) Cela signifie que vous cessez d'essayer de vous sauver vous-même et que vous acceptez le Christ comme votre seul Seigneur et Sauveur. Vous mettez sans réserve toute votre confiance en Lui.

*Quatrièmement*, vous devez confesser le Christ publiquement. Cette confession est signe que vous avez été converti. Jésus a dit: «Quiconque se déclarera pour moi devant les hommes, moi aussi je me déclarerai pour lui devant mon Père qui est dans les cieux.» (Matthieu 10,32) Il est très important, lorsque vous recevez le Christ, de le dire à quelqu'un le plus tôt possible. Cela vous donnera de la force et du courage pour témoigner.

Prenez votre décision *maintenant*. «Le voici maintenant le moment favorable, le voici maintenant le jour du salut.» (2 Corinthiens 6,2) Si vous êtes disposé à vous repentir et à accepter Jésus-Christ comme votre Seigneur et Sauveur, vous pouvez le faire maintenant. En cet instant précis, vous pouvez soit incliner la tête, soit vous agenouiller pour réciter cette petite prière que j'ai faite avec des milliers de personnes de par le monde:

> Ô Dieu, je reconnais que j'ai péché contre Toi. Je regrette mes péchés et je veux m'en détourner. Je reçois ouvertement Jésus-Christ que je reconnais comme mon Sauveur. Je Le déclare mon Seigneur. Dès maintenant, je veux vivre pour Lui et pour Le servir. Au nom de Jésus. Amen.

Ce sont les étapes et la prière qui, dans un livre que j'ai écrit il y a plusieurs années, ont été lues par des gens comme vous qui y ont réagi et qui m'ont par la suite écrit que leur vie avait été transformée.

Si vous êtes prêt à prendre cette décision et si vous avez reçu le Christ comme votre Seigneur et Sauveur personnel, alors vous êtes devenu un enfant de Dieu, et Jésus-Christ habite en vous. Ne vous servez pas de vos sentiments comme étalon pour mesurer la certitude de votre salut. Croyez en Dieu. Il tient parole. Vous êtes né de nouveau. Vous êtes vivant!

Si vous avez besoin d'aide ou de documentation, n'hésitez pas à m'écrire:

Billy Graham
Minneapolis, Minnesota
Cette adresse suffit.

# ◆ CHAPITRE 13 ◆

# Vie et croissance

«Après y avoir réfléchi pendant trois jours, j'ai compris que j'avais besoin de Jésus-Christ et je L'ai accepté. Maintenant que j'ai remis ma vie entre les mains du Christ, je possède une nouvelle puissance qui m'a été donnée par Dieu.»

Qui a fait une telle déclaration? Quelqu'un de malmené par la vie, à la recherche de sa propre valeur et de son identité? Pas du tout. C'est un jeune et bel athlète de l'University of Southern California, John Naber, qui a retenu l'attention du monde entier en gagnant quatre médailles d'or aux épreuves de natation des Jeux olympiques de 1976. John Naber a dit qu'il cherchait dans sa vie quelque chose qui ait du sens et, après avoir assisté à l'un de nos rassemblements, il a commencé à prendre conscience de Jésus-Christ. Il est né de nouveau.

De plus en plus de personnes célèbres, surtout dans le monde du sport, du spectacle et de la politique, parlent des nouvelles expériences qu'elles ont vécues quand le Christ leur a donné une vie nouvelle. Même si ces récits sont fascinants, ils présentent des dangers (comme je l'ai déjà dit) quand le «novice» n'est pas bien ancré dans la Parole de Dieu. Pourtant, je ne peux m'empêcher de me réjouir de l'expérience de chacun, et je crois que Dieu a usé de sa puissance pour toucher des gens extraordinairement doués, partout dans le monde. Dieu se sert de l'intermédiaire de beaucoup d'entre eux pour gagner des fidèles au Christ. Dans un certain journal, on lit que «le renouveau religieux actuel se manifeste partout»; des célébrités parlent du «moment précis de leur retournement spirituel» en faisant le «récit souvent incroyable de leur nouvelle naissance. Certaines disent avoir rencontré Jésus-Christ. D'autres ont fait l'expérience d'une sensation semblable à un choc électrique. Dans tous les cas, les nouveaux croyants éprouvent d'extraordinaires sentiments de joie et d'amour.»

Dean Jones, qui a tourné dans plusieurs films de Walt Disney, raconte ceci: «Je jouais dans un théâtre d'été au New Jersey. J'étais rentré dans ma chambre pour être seul. Rien ne me satisfaisait. Je regardais par la fenêtre, en proie à la peur et à la confusion. Impulsivement, je me suis agenouillé près du lit et j'ai confié mes doutes à Dieu. J'ignore encore ce qui m'a poussé à le faire. J'ai dit à Dieu: "Si Tu donnes un sens à ma vie, je Te servirai."»

Rien de plus stimulant que le témoignage personnel de celui qui a fait l'expérience d'une renaissance spirituelle. Il ne s'agit pas simplement d'un récit intéressant ou d'une expérience fascinante. Celui qui naît de nouveau reçoit de Dieu de grandes richesses. Nous allons en parler et examiner comment puiser dans ce grand potentiel.

## Pardonné!

«[...] vos péchés vous sont remis par la vertu de son nom.» (1 Jean 2,12) Quelle promesse extraordinaire! Dans tout le Nouveau Testament, nous voyons que celui qui reçoit le Christ comme son Seigneur et son Sauveur reçoit aussi, immédiatement, le cadeau du pardon. La Bible dit: «Comme est loin l'orient de l'occident, il éloigne de nous nos péchés.» (Psaumes 103,12)

«Pardonne-moi», «Je regrette», «Je ne voulais pas faire de mal»; combien de fois prononçons-nous ces paroles et trouvons-nous qu'elles sonnent creux? Mais le pardon de Dieu n'est pas une phrase vide; c'est l'effacement complet de la souillure et de la dégradation passées, présentes et futures. La seule raison pour laquelle nos péchés peuvent nous être pardonnés, c'est que Jésus les a totalement expiés sur la croix.

Le sentiment de culpabilité sert de base à bien des intrigues théâtrales. Qui n'a jamais entendu cette réplique tirée de *Macbeth* de Shakespeare: «Va-t'en, tache damnée! Va-t'en!» (acte V, scène première). Le sentiment de culpabilité est aussi au centre de bien des traitements psychiatriques. Nombreux sont ceux qui se sentent comme Judas, qui, après avoir trahi Jésus, a dit: «J'ai péché en livrant un sang innocent.» (Matthieu 27,4) Le poids de notre culpabilité est si grand que le glorieux concept du pardon devrait être crié bien fort par tous ceux qui croient en Jésus-Christ.

La bonté du Dieu qui nous pardonne est encore plus grande que cela, quand nous comprenons que, à notre conversion, nous sommes justifiés — ce qui veut dire que, aux yeux de Dieu, nous apparaissons sans culpabilité, revêtus à jamais de la justice du Christ.

Comme nous l'avons vu au chapitre 9, le pardon et la justification sont des dons de Dieu.

## Adopté par le Roi

Quand vous vous convertissez, Dieu vous adopte. En tant qu'enfant adopté, chacun de nous peut prétendre être cohéritier avec Jésus-Christ. «Dieu envoya son Fils [...] afin de racheter les sujets de la Loi, afin de nous conférer l'adoption filiale.» (Galates 4,4-5)

Je connais un avocat qui, avec sa femme, a adopté un garçon et une fille. La petite fille ressemble beaucoup à sa mère adoptive, et le garçon pourrait facilement passer pour le fils biologique de son père adoptif. Le fait que leurs parents adoptifs les aient choisis pour enfants leur donne un grand sentiment de sécurité et d'amour.

Être l'enfant du Dieu de l'univers est une source de puissance.

## Le Saint-Esprit nous habite

Dès que vous avez été converti, le Saint-Esprit est venu habiter en vous. Avant son ascension, Jésus-Christ a dit: «Je prierai le Père et il vous donnera un autre Paraclet [c'est-à-dire avocat, assistant et conseiller], pour qu'il soit avec vous à jamais, l'Esprit de Vérité [...] Vous, vous le connaissez, parce qu'il demeure auprès de vous et qu'il est en vous.» (Jean 14,16-17)

Durant sa vie sur terre, le Christ ne pouvait être que parmi un petit groupe de personnes à la fois. Maintenant, par l'intermédiaire du Saint-Esprit, Il habite dans le cœur de tous ceux qui l'ont accepté comme Seigneur et Sauveur. Lloyd Ogilvie, pasteur presbytérien à Hollywood, dit du Saint-Esprit qu'Il est le «Christ contemporain». Paul a écrit aux Romains: «Celui qui a ressuscité le Christ Jésus d'entre les morts donnera aussi la vie à vos corps mortels par son Esprit qui habite en vous.» (Romains 8,11)

À la conférence historique sur l'évangélisation mondiale de 1974, en Suisse, le Saint-Esprit a fait l'objet de nombreuses allocutions et discussions. Le révérend Gottfried Osei-Mensah, de Nairobi, au Kenya, a dit: «L'Esprit est notre maître. Il revient à l'Esprit-Saint, qui nous habite, de nous libérer du joug du péché dans notre vie quotidienne et de nous aider à vivre la vie nouvelle que nous partageons avec le Christ.»

Combien de temps le Saint-Esprit vit-il dans le cœur du croyant? À tout jamais. Dieu n'a pas fait de don aussi puissant que le Saint-Esprit pour ensuite le reprendre. Par un acte de foi, vous acceptez la parole de Dieu selon laquelle le Saint-Esprit vous habite, mais, en plus, vous pouvez Le voir à l'œuvre. Le Saint-Esprit peut rajeunir le chrétien fatigué, capter l'attention du croyant indifférent et donner une nouvelle énergie à une Église essoufflée.

Un ministre du culte de Buenos Aires, en Argentine, a dit: «Aujourd'hui, le Saint-Esprit renouvelle le fruit de l'Esprit — amour, joie, paix. Ce sont là les éléments qui montreront au monde que nous sommes son peuple.»

Le Saint-Esprit vous donne une puissance spéciale pour travailler pour le Christ et Il vous donne de la force dans les moments de tentation.

Jésus a promis que nous allions recevoir une force de l'Esprit Saint. (Actes 1,8) Peut-être avez-vous déjà entendu l'histoire du pic qui frappait de son bec le tronc d'un arbre. Au même moment, la foudre s'abattait sur l'arbre, le fendant en deux de haut en bas. Une fois le choc passé, le pic s'est envolé en clamant: «Je n'aurais jamais cru que mon bec était si puissant!» Je ne vous demande donc pas si vous possédez le Saint-Esprit, mais bien s'Il vous possède.

## Victoire sur la tentation

La Bible nous enseigne que le nouveau croyant en Jésus-Christ — le converti — doit «[détester] le mal». (Romains 12,9) Voici une autre vive exhortation de la Bible: «[…] il vous faut abandonner votre premier genre de vie et dépouiller le vieil homme, qui va se corrompant au fil des convoitises décevantes.» (Éphésiens 4,22)

Comment sommes-nous censés mettre fin à des péchés que nous commettons depuis des années ou nous débarrasser de certaines attitudes négatives, soupçonneuses, haineuses ou rapaces qui sont enracinées dans notre personnalité? Vous répondrez peut-être qu'il vous est impossible de le faire seul.

Vous avez raison. Cependant, la capacité de résister au péché et d'obéir à Dieu vient du Saint-Esprit qui habite chaque vrai croyant. Il ne nous est pas demandé de lutter seuls contre la tentation. Dieu vit dans notre cœur pour nous aider à résister au péché. À Lui de travailler; à nous de Lui céder.

La Bible ne dit pas que nous ne serons pas tentés; ce ne serait pas réaliste. Nous savons que nous vivons dans un monde de tentations, dont la plupart sont presque irrésistibles et nous sont présentées comme des choses que nous devons acheter ou essayer — au moins une fois! Le converti dispose du moyen de l'emporter sur la tentation: «Aucune tentation ne vous est survenue, qui passât la mesure humaine. Dieu est fidèle; il ne permettra pas que vous soyez tentés au-delà de vos forces; mais, avec la tentation, il vous donnera le moyen d'en sortir et la force de la supporter.» (1 Corinthiens 10,13)

Se sentir tenté n'est pas un péché; en tant que croyant en Jésus-Christ, nul besoin de vous blâmer pour la multiplication des tentations autour de vous. Le Saint-Esprit qui vous habite vous donne la force d'y résister.

La tentation est très puissante et elle le deviendra encore plus quand vous serez né de nouveau. Les Écritures nous disent que nous sommes engagés dans une guerre spirituelle et que nos ennemis ont plus de pouvoir et plus de ruses que jamais pour nous tenter. Beaucoup de nouveaux croyants commettent la grave erreur de croire que, du moment qu'ils sont convertis, ils deviendront parfaits et vivront dans un état permanent d'exaltation. Or, ils se trouvent bien vite en proie à la tentation, en état de conflit, et il leur arrive même d'y céder. Alors, le nouveau croyant s'examine et n'aime pas beaucoup ce qu'il voit. Le découragement et la frustration le minent. Tout cela est normal. Satan vous tente; Dieu vous met à l'épreuve. Ce sont souvent les deux côtés d'une même médaille: Dieu permet à Satan de vous tenter, et Il se sert de cette tentation comme d'une épreuve ou comme d'une expérience destinée à vous aider à approfondir votre foi et à vous montrer à quel point vous êtes vulnérable si vous ne faites confiance qu'à vous-même. Dieu veut que vous placiez toute votre confiance en Lui.

Une ancienne allégorie illustre bien ce point: «Satan a convoqué ses serviteurs afin de discuter avec eux des moyens de faire pécher un homme bon. À un esprit malin qui dit pouvoir y arriver, Satan demande comment il s'y prendra. "J'étalerai devant lui les plaisirs du péché; je lui parlerai de ses délices et des richesses qu'il apporte." Satan lui répond: "Cela ne marchera pas; il y a déjà cédé et ne s'y laissera plus prendre." Un autre esprit malin prétend à son tour qu'il pourra faire pécher cet homme bon: "Je lui dirai toutes les souffrances et les chagrins qu'entraîne la vertu. Je lui montrerai qu'il n'y a pas de délices dans la vertu ni de récompenses." Satan lui répond: "Ah non! pas cela. Il l'a essayée et il sait que les voies de la sagesse sont des voies agréables qui mènent toutes à la paix." Un troisième esprit malin dit: "Moi, je vais entreprendre de le faire pécher." Satan lui demande comment. La réponse est courte: "Je découragerai son âme." Satan s'exclame: "Voilà qui marchera! Voilà qui marchera! Nous le conquerrons[1]!"»

Le conflit spirituel existe dans le cœur de chaque croyant. Il est vrai que le chrétien possède une nouvelle nature, mais son ancienne nature de pécheur demeure. Il nous incombe à chacun, chaque jour, de céder à notre nouvelle nature sur laquelle Dieu domine.

Que l'on pense à l'histoire de la ménagère qui avait aperçu une souris dans sa cuisine et qui avait empoigné un balai pour la tuer. La souris n'a pas perdu de temps à examiner la ménagère ou le balai; elle s'est empressée de rentrer dans son trou. Il doit en être de même pour nous quand nous faisons face à la tentation. Il ne faut pas l'examiner, mais chercher le moyen d'y échapper. Les Écritures disent: «[Dieu] ne permettra pas que vous soyez tentés au-delà de vos forces; mais, avec la tentation, il vous donnera le moyen d'en sortir et la force de la supporter.» (1 Corinthiens 10,13)

Le chrétien qui pèche se sent malheureux. Quelquefois, il évite de rencontrer d'autres chrétiens, il cesse de fréquenter l'église, il se croit mal compris. Cependant, chaque chrétien a accès à Dieu par la prière et, quand il confesse son péché à Dieu, Celui-ci rétablit la communion avec lui. C'est ce qui distingue le croyant de l'incroyant. Contrairement au croyant, l'incroyant fait du péché une habitude.

Un mot sur la façon dont les croyants devraient traiter un frère qui est «tombé»: Il y a quelques années, je connaissais un jeune étudiant qui venait de se convertir, après avoir passé sa vie à se droguer. Peu de temps après sa conversion, il avait accepté de devenir l'informateur d'un agent de la brigade des stupéfiants, afin de faire arrêter les revendeurs de drogues de sa région. Ses amis chrétiens l'avaient mis en garde, mais il s'était déjà engagé dans cette voie. L'inévitable n'a pas tardé à arriver. Il s'est détourné de sa confession de chrétien quand il a dû prétendre faire lui-même usage de drogues pour convaincre le revendeur de lui faire confiance; à un certain moment, il s'est même fait deux piqûres d'héroïne. (Soit dit en passant, les piqûres ont eu sur lui l'effet opposé à celui qu'elles lui procuraient avant sa conversion — au lieu de «planer», il a éprouvé de violents symptômes de manque.) Le dimanche précédant son retour chez lui, il s'est levé devant ses compagnons d'école du dimanche pour leur raconter ce qui s'était passé. Le revendeur s'était fait prendre. Même si notre jeune homme s'était détourné de sa confession de chrétien, il tenait à ce que ses compagnons sachent qu'il croyait encore au Seigneur et qu'il Le suivait toujours. D'un geste des deux doigts de la main droite, il leur a dit: «Jésus et moi, on est comme cela.» Le maître a saisi l'occasion pour parler aux étudiants de la façon de traiter un frère qui semble être tombé. Durant la période où le jeune homme apportait son aide à l'agent de la brigade des stupéfiants, tous les chrétiens du campus avaient cru qu'il avait repris ses mauvaises habitudes, et ils l'avaient battu froid. Pourtant, quand nous constatons qu'un frère tombe (ou quand nous croyons qu'il est tombé), nous devrions, comme le bon Samaritain, l'aider à se relever, l'encourager le plus possible, prier pour lui, et lui faire sentir que nous l'aimons et que nous croyons en lui.

Le croyant abhorre le péché et souhaite obéir aux commandements de Dieu. Paul dit que, chez le croyant, «la conduite n'obéit pas à la chair, mais à l'esprit». (Romains 8,4) Le Saint-Esprit qui nous habite nous fait prendre conscience du péché de bien des manières. Le croyant se rendra compte que les grossières plaisanteries qui faisaient partie de son «répertoire» à son lieu de travail lui restent prises dans la gorge. Les cocktails que nous trouvions si intéressants et amusants nous semblent maintenant ennuyeux. Ruth et moi avons quelquefois assisté à des cocktails un peu partout dans le monde. Chaque fois, nous apportions des boissons gazeuses et essayions de confesser notre foi. Le premier converti de notre Campagne de New York est le résultat direct de ma présence à un cocktail, comme ceux dont je viens de parler, à bord d'un navire arrivant de New York, au début des années 1950. Ce genre de réunions fournit souvent une belle occasion de confesser le Christ. Il nous est souvent arrivé, à Ruth et à moi, de nous trouver entourés de gens qui nous posent des questions sur la spiritualité. De la même façon, Jésus a parlé aux publicains et aux pécheurs, cela dans un but clair. D'autre part, non seulement il est souvent ennuyeux de fréquenter les cocktails pour faire partie d'un «groupe», mais vous risquez d'y entendre quelqu'un blasphémer le nom du Seigneur.

Les choix du nouveau croyant se font dans une nouvelle perspective. Il peut succomber au péché (et se sentir malheureux) ou s'abandonner à Dieu. Le conseil de Paul est excellent: «Je vous exhorte donc, frères, par la miséricorde de Dieu, à offrir vos personnes en hostie vivante, sainte, agréable à Dieu: c'est là le culte spirituel que vous avez à rendre. «Et ne vous modelez pas sur le monde présent, mais que le renouvellement de votre jugement vous transforme et vous fasse discerner quelle est la volonté de Dieu, ce qui est bon, ce qui lui plaît, ce qui est parfait.» (Romains 12,1-2)

La transformation par le «renouvellement de l'esprit» peut se produire rapidement et de façon spectaculaire, comme chez un drogué qui se sèvre instantanément, ou elle peut imprégner votre vie d'une façon plus graduelle.

## Croître lentement, presque imperceptiblement — mais croître!

Nombreux sont ceux qui atteignent la maturité chrétienne rapidement; d'autres croissent beaucoup plus lentement, presque imperceptiblement. J'ai déjà vu à la télévision des fleurs pousser, bourgeonner et éclater, grâce à la prise de vues au ralenti, exécutée sur une longue période. Si vous observiez le même processus dans votre jardin, vous verriez qu'il se déroule sur une période de plusieurs jours. De la même façon, nous observons notre vie de jour en jour, et souvent nous nous décourageons devant la lenteur de notre croissance. Mais si vous attendez un an ou deux, puis que vous examinez votre vie, vos progrès seront plus évidents. Vous êtes devenu meilleur, plus bienveillant, plus aimant. Vous aimez davantage les Écritures. Vous aimez davantage prier. Vous êtes un témoin du Christ plus fidèle. Mais rappelez-vous que vous n'atteindrez jamais la pleine maturité dans le Christ avant d'être face à face avec Lui, au ciel.

Abrupts ou graduels, les changements qui s'opèrent chez le converti font partie de sa croissance. Il ne renaît pas adulte; il renaît plutôt avec l'énergie d'une vie nouvelle qui le fera mûrir avec le temps. Il s'agit d'une croissance spirituelle et morale. Après tout, avant de courir, le nourrisson doit apprendre à ramper, puis à marcher. Il faut temps, étude, patience et discipline.

Quelqu'un pourrait bien imiter la croissance chrétienne par des efforts religieux. Mais le résultat ressemblerait à une copie en plâtre du *David* de Michel-Ange. C'est faux et fragile.

La croissance du chrétien se fait tandis que la vie de Dieu exerce son nouveau pouvoir profondément dans son cœur. Celui qui n'est pas converti ne peut imiter cette vie, si religieux qu'il essaie de se montrer. Il ne jouit pas de la source de croissance, parce qu'il n'est pas né de nouveau.

Des étudiants d'Harvard ont un jour essayé de tromper le célèbre professeur de zoologie, M. Agassiz. Ils ont pris des parties de différents insectes qu'ils ont réunies avec grand art, pour constituer une créature qui ne manquerait pas de dérouter leur professeur. Le jour convenu, ils l'ont apportée devant lui et lui ont demandé de l'identifier. En voyant Agassiz étudier si attentivement la créature, les étudiants étaient de plus en plus certains d'avoir réussi à tromper le génie.

Après un certain temps, Agassiz s'est redressé et a dit: «Je l'ai identifiée.» Retenant à peine leur amusement, les étudiants lui ont demandé le nom de la bête. Agassiz a répondu: «Il s'agit d'un extraordinaire spécimen de… fumisterie.»

Celui qui possède la vraie vie donnée par Dieu ne manquera pas de détecter les contrefaçons et de penser qu'il s'agit de fumisteries.

Le nouveau converti est un nourrisson du Christ. Pour croître, le nourrisson doit recevoir de la nourriture. Il doit être protégé, parce qu'il est né dans un monde plein d'ennemis. Ses combats principaux, il les livrera contre «le monde», contre «la chair» et contre «le diable». C'est pourquoi il a besoin du soutien de sa famille, de ses amis chrétiens et, surtout, de l'Église. À sa naissance, l'enfant de Dieu possède de grandes richesses et a droit à un héritage extraordinaire, mais il lui faut du temps pour découvrir tout ce qui lui appartient.

Ce qui compte le plus au commencement d'une nouvelle vie, c'est d'être nourri et fortifié. Voici les «éléments nutritifs» essentiels.

## Trouvez-vous une Bible

Si vous possédez déjà une Bible, tant mieux! Mais si les Écritures vous sont inconnues, je vous conseille de vous procurer l'une des nouvelles traductions de la Bible, qui vous sera plus facile à comprendre. Il importe que vous commenciez votre lecture par le Nouveau Testament; l'Évangile de Jean est un bon point de départ.

Saturez-vous de la Parole de Dieu. Ne vous inquiétez pas si vous ne comprenez pas tout ce que vous lisez, c'est normal. Priez avant de lire et demandez au Saint-Esprit de clarifier votre lecture. Les Écritures constituent la source d'espérance la plus riche, dans notre monde désespéré. «En effet, tout ce qui a été écrit dans le passé le fut pour notre instruction, afin que la constance et la consolation que donnent les Écritures nous procurent l'espérance.» (Romains 15,14)

Apprenez par cœur certains passages de la Parole de Dieu. «Dans mon cœur j'ai conservé tes promesses pour ne point faillir envers toi.» (Psaumes 119,11) Trouvez un verset qui satisfasse vos besoins et dactylographiez-le sur une fiche. Gardez la fiche dans votre poche ou votre sac à main et lisez-la souvent durant la journée. Au bout d'une semaine, vous aurez mémorisé le verset.

Satan fera tout en son pouvoir pour vous décourager, pour vous empêcher de lire la Bible et de la mémoriser. Dans le passé, il se peut que vous n'ayez pas été attaqué par Satan; mais vous faites maintenant quelque chose qui le fait enrager au plus haut point. Vous l'avez quitté pour joindre les rangs de l'armée de Dieu. Comme vous êtes un soldat du Christ, Satan déchaînera contre vous toutes ses armes secrètes. À partir de maintenant, vous devrez nager à contre-courant, dans le fleuve des iniquités de notre monde.

Toutefois, vous êtes en mesure de lutter contre Satan, grâce à l'arme que Dieu vous a fournie, «le glaive de l'Esprit, c'est-à-dire la Parole de Dieu». (Éphésiens 6,17) Vous disposez non seulement d'un glaive pour attaquer, mais aussi d'un bouclier pour vous défendre. «Ayez toujours en main le bouclier de la Foi, grâce auquel vous pourrez éteindre tous les traits enflammés du Mauvais.» (Éphésiens 6,16)

Dans le désert, le Christ a été tenté trois fois par le diable; chaque fois Il a résisté à la tentation, selon les Écritures, en répondant: «Il est écrit.» (Matthieu 4)

Comme le Christ avant nous, nous avons besoin de l'arme puissante des Écritures.

## Apprenez à prier

Il existe beaucoup de livres sur la prière; elle fait l'objet de séminaires; d'innombrables sermons vantent sa puissance. Il arrive souvent que le nouveau croyant ne sache que dire dans sa prière, qu'il ignore comment prier.

Jésus a dit qu'il faut prier sans cesse; Paul aussi. (Luc 18,1 et 1 Thessaloniciens 5,17)

La prière ne doit pas nécessairement être éloquente ou contenir des termes de théologie. Quand vous avez décidé de suivre le Christ, vous avez reçu le privilège de vous adresser à Dieu comme à un père. Priez-Le comme un enfant parle à un père aimant et bienveillant. Au début, vous aurez de la difficulté à vous exprimer, mais ce qui compte, c'est de vous y mettre. Ma femme a encore le petit journal qu'elle a tenu quand nos enfants ont commencé à parler avec nous. Elle chérit ce trésor de premières tentatives et de premières erreurs. Jamais elle ne pourrait s'en défaire.

Il nous faut prier sans cesse. À maintes reprises durant la journée, nous devrions penser à Dieu, pour le louanger et le remercier, et pour Lui demander son aide. Les prières doivent être précises. Dieu s'intéresse à tout ce que vous faites; rien n'est trop important, rien n'est trop insignifiant.

## *Entrez en communion avec d'autres chrétiens*

Dieu ne souhaite pas que vous viviez seul la vie chrétienne. C'est pourquoi Il rassemble les croyants pour former des communautés. Ce que le nouveau croyant doit rechercher, c'est une église où l'on croit à la Bible et où on l'enseigne. Je ne dis pas que n'importe quelle église fera l'affaire. Vous comprendrez vite si le prédicateur enseigne la Parole de Dieu ou s'il fait l'éloge d'une quelconque philosophie de vie, la sienne ou une autre. L'église en question offre-t-elle des cours sur la Bible aux croyants de tous âges?

Sans la communion des croyants, le chrétien nouveau-né a tendance à dépérir. Dans l'Épître aux Hébreux, on peut lire: «[...] faisons attention les uns aux autres pour nous stimuler dans la charité et les œuvres bonnes; ne désertez pas votre propre assemblée, comme quelques-uns ont coutume de le faire, mais encouragez-vous mutuellement [...]» (Hébreux 10,24-25)

Il existe peut-être dans votre communauté un groupe de prière ou une classe biblique. Il est tellement stimulant de se trouver un nouveau cercle d'amis, des gens qui ont atteint divers stades de croissance chrétienne, qui échangeront des idées avec vous et renforceront votre foi.

L'une de mes filles habite un quartier de la classe moyenne supérieure. Elle a pour voisins certains des leaders sociaux de la ville. Après avoir longtemps prié, elle a décidé d'aller frapper à la porte de ses voisins pour leur demander s'ils aimeraient suivre un cours sur la Bible. Non seulement, dans presque tous les cas, les femmes qui lui ont ouvert ont répondu «oui», mais certaines ont éclaté en sanglots, disant: «J'attends depuis longtemps que quelqu'un me demande d'assister à un cours sur la Bible, parce que je veux l'apprendre.» Aujourd'hui, ma fille donne un cours biblique hebdomadaire à une classe de trois cents femmes. Et la liste d'attente s'allonge chaque jour. S'il n'y a pas de cours biblique dans votre communauté, pourquoi ne pas en mettre un sur pied? Vous verrez que vos voisins sont plus «affamés» et «assoiffés» que vous ne l'auriez jamais cru. Ils attendent simplement que quelqu'un prenne l'initiative. Au début, vous ne serez peut-être que deux ou trois à vous rassembler, à lire un passage de la Bible, à en parler et à prier autour d'une tasse de café. Des milliers de petits cercles bibliques se forment chaque année de par le monde, dans les foyers, dans les bureaux, et même dans certaines équipes de football professionnel. Même les golfeurs professionnels organisent une réunion biblique hebdomadaire à laquelle assistent dix, trente ou même cinquante golfeurs et femmes de golfeurs.

Désormais, vous n'êtes plus seul. La paternité de Dieu donne naissance à la vraie fraternité humaine, idéal que les philosophes et les moralistes recherchent depuis toujours. Cette fraternité abat les barrières de la langue, de la race ou de la culture. L'une des plus grandes joies que puisse connaître le chrétien, c'est de rencontrer un autre croyant dans un endroit inattendu. La serveuse d'un restaurant découvre un point commun avec son client. Le passager d'un avion se rend compte que l'hôtesse de l'air est croyante comme lui. Vous vous trouvez à l'étranger et vous y sentez immédiatement chez vous quand vous rencontrez un autre chrétien. Les longues présentations sont inutiles. Vous avez avec lui le lien le plus merveilleux qui puisse exister sur terre. Aucune autre communion sur terre ne lui est comparable.

Au début de ce livre, j'ai affirmé que le sujet le plus important dont on puisse traiter, c'est celui de la renaissance, car c'est l'événement le plus marquant qui puisse arriver à un homme, à une femme ou à un enfant.

Ce n'est que lorsque vous naissez de nouveau que vous pouvez connaître toutes les richesses que Dieu vous réserve. Vous devenez autre chose qu'un être en vie, vous devenez vraiment VIVANT!

# Guide d'étude

## Comment utiliser le présent ouvrage

Les questions et les exercices de ce guide sont destinés à l'étude individuelle qui mène à l'interaction de groupe. Ils peuvent donc orienter la méditation personnelle ou servir de sujet à une discussion de groupe. Au début de la première réunion du groupe, nous vous recommandons de réserver quelques minutes à la présentation de chacun des membres, qui feront connaître leur pèlerinage personnel de foi.

Il est bon, si possible, que les membres assurent tour à tour le leadership du groupe. Cependant, si l'un des membres est particulièrement doué pour la direction des discussions, désignez-le leader des discussions de chaque semaine. Rappelez-vous que le rôle du leader consiste simplement à orienter la discussion et à provoquer l'interaction. Il ne doit jamais dominer dans les réunions, mais plutôt inciter chacun à participer, à exprimer son point de vue. Le leader préviendra les digressions, mais favorisera le dynamisme de la discussion.

Si l'un des objectifs de votre groupe est de créer une communauté qui veille sur ses membres, il est bon de réserver un peu de temps à la formulation par chacun de ses préoccupations et à la prière. La prière peut se faire en silence ou à haute voix.

## 1. Pourquoi suis-je si vide?

1. Êtes-vous d'accord avec Billy Graham quand il dit: «De nos jours […] la majeure partie du monde qui recherche la connaissance et l'épanouissement ignore Dieu!»? (p. 16)
2. Qu'est-ce qui n'avait plus aucun sens dans la vie de Tom Phillips? (p. 19)

3. Qu'a-t-il découvert qu'il lui manquait?
4. Discutez des questions énumérées au dernier paragraphe de la page 19?
5. Croyez-vous que «les hommes veulent désespérément la paix»? (p. 21)
6. Qu'est-ce que la paix? Définissez-la et discutez-en.
7. Connaissez-vous quelque chose de plus important?

## 2. Quelqu'un peut-il me dire où trouver Dieu?

1. Croyez-vous que l'évangile du nationalisme soit aussi répandu que le laisse entendre Billy Graham à la page 26?
2. Discutez de l'affirmation de Blaise Pascal qui est citée à la page 27. Reformulez-la dans vos propres mots.
3. À la page 28, Billy Graham écrit: «La foi constitue le lien qui unit l'homme à Dieu.» Discutez des implications de cette phrase.
4. Au moyen d'une concordance de la Bible, explorez les diverses dimensions de l'amour divin.
5. Comment êtes-vous conscient de l'amour de Dieu en ce moment?

## 3. Dieu nous parle-t-Il vraiment?

1. Discutez du concept de «cécité spirituelle» dont il est question à la page 34?
2. Comment se manifeste-t-elle?
3. Quelle est la preuve la plus convaincante de l'existence de Dieu? (voir pages 35 et suivantes)
4. De quelles manières Dieu vous parle-t-Il?
5. Quelle est la manière la plus courante?
6. Quel est votre verset préféré de la Bible?

## 4. Mais je ne suis pas religieux!

1. Faites ressortir les différences entre le sacrifice de Caïn et celui d'Abel. (p. 47)
2. Pourquoi Dieu a-t-Il accepté le sacrifice d'Abel mais pas celui de Caïn?
3. Si le christianisme n'est pas une religion, qu'est-il?
4. Répondez à la question de la page 50: «Peut-on vraiment mettre le christianisme dans la même catégorie que toutes les "religions" du monde?»

5. Quelqu'un a dit: «Chacun a dans sa vie un vide qui a la forme de Dieu.» Discutez de cette phrase à la lumière des commentaires que fait Billy Graham aux pages 50 et suivantes, sous le titre «Inexcusable».
6. Parlez des «faux prophètes» énumérés aux pages 54 et suivantes.

### 5. Qu'est-ce que le péché?

1. Quelle est l'origine du péché?
2. Discutez de notre «terrible liberté». (p. 62)
3. Discutez de la similitude entre le péché et la chute de la patineuse dont il est question à la page 63.
4. Lisez la lettre citée à la page 65. Que nous apprend cette lettre au sujet de la jeune fille?
5. Relisez la partie «Lire les radiographies», pages 66-68. Avez-vous transgressé l'une de ces «règles de vie» — ou toutes?

### 6. Dieu a-t-Il un remède contre notre maladie spirituelle?

1. «Le péché est semblable à un cancer.» (p. 72) Discutez de cette affirmation.
2. Lisez le cinquième paragraphe de la page 72 et discutez-en.
3. Discutez des points communs qui existent entre le nouveau-né et celui qui naît à la vie chrétienne.
4. Relisez l'affirmation du docteur Wilson à la page 77: «La culpabilité non résolue est l'une des causes majeures de la maladie mentale. Les sentiments de honte, d'inadaptation et d'insuffisance sont souvent à l'origine du sentiment de culpabilité. Le remède à la culpabilité se trouve dans la grâce et dans la renaissance. La renaissance mène au pardon du péché.» Discutez-en et appliquez-la.
5. Discutez de l'affirmation de Billy Graham à la page 80: «[...] ce ne sont pas les tempêtes de la vie qui nous érodent, mais la pollution graduelle et insidieuse du péché, qui entraînera notre destruction.»
6. Quelles sont les trois dimensions de la mort? (pp. 80-83)

### 7. L'homme qui est Dieu

1. «Jésus possédait une agilité mentale qui étonne les érudits depuis deux mille ans.» (p. 89) Réfléchissez à cette dimension de la per-

sonnalité de Jésus et discutez-en. Comparez ses attributs physiques à ceux des personnes qui L'entouraient.

2. Lisez les versets 25 et 26 du chapitre 23 de l'Évangile selon Matthieu dans une version moderne. Pensez-vous que Jésus se soit montré trop franc? À quel moment la franchise devient-elle de la grossièreté?

3. Avez-vous jamais eu à pardonner à quelqu'un qui vous a fait du tort?

4. En ce moment, y a-t-il quelqu'un à qui vous devriez pardonner?

5. Réfléchissez aux quatre attributs de Dieu qui sont énumérés aux pages 92-93, et discutez-en.

6. Réfléchissez aux trois grands «omni» de Jésus (et de Dieu) qui sont énumérés à la page 94, et discutez-en.

7. Discutez de la conclusion de ce chapitre, page 97: «C'est simple. Jésus est Dieu. Notre vie terrestre et notre éternité dépendent du fait que nous croyons ou non à cette vérité.»

## 8. Qu'est-il arrivé sur la croix?

1. Que signifie la croix de Jésus? (p. 99)

2. «Pour quelqu'un de l'"extérieur", la croix doit sembler ridicule. Mais pour ceux qui ont fait l'expérience de son pouvoir transformateur, elle est devenue le seul remède aux maux de l'individu et à ceux du monde.» (p. 100) De quelles façons la croix est-elle «le seul remède»?

3. Qu'est-il arrivé sur la croix?

4. Quel a été le prix de la croix pour Dieu?

5. Discutez de la signification et de la raison d'être de la communion. (p. 105)

## 9. Le tribunal du Roi

1. À la lumière du pardon divin du péché, comment devrions-nous vivre?

2. Sommes-nous vraiment libres de continuer de pécher?

3. Réfléchissez à la notion de «responsabilité» présentée par Billy Graham à la page 111 et discutez-en.

4. Examinez les quatre conclusions que Billy Graham tire de sa réflexion sur la mort du Christ (à partir de la page 111) et discutez-en.

5. Discutez des trois questions qui sont posées dans ce chapitre:
«Pourquoi suis-je incapable de résoudre mes problèmes?»
«Je me sens si coupable, comment trouver le soulagement?»
«Me faut-il comprendre tout cela au sujet de la mort du Christ?»
Vous êtes-vous jamais posé ces questions?

## 10. Jésus-Christ est vivant

1. Quel est le fondement de notre foi en Jésus-Christ? (p. 119)
2. Quelles sont les implications de l'affirmation de Wilbur Smith, citée
à la page 121: «Disons simplement que nous en savons plus long sur
la mort de Jésus et sur les heures qui l'ont précédée immédiatement
que sur la mort de tout autre homme des temps passés.»
3. Examinez les trois points que soulève Billy Graham aux pages
121-123: Jésus a été enseveli […] le tombeau vide […] la résurrection corporelle. Que nous faut-il savoir de plus?
4. Aujourd'hui, que signifie pour nous la résurrection?

## 11. La nouvelle naissance maintenant

1. Comment changer la nature humaine?
2. En fin de compte, comment transformer la société? (p. 133)
3. Évaluez l'affirmation de John Hunter citée à la page 136:
«Nicodème a commencé par "connaître", puis il a continué en
croyant et en recevant.»
4. À la page 138, Billy Graham dit: «La nouvelle naissance n'est pas
une simple réforme, c'est une transformation.» Que veut-il dire
par là? Reformulez l'idée dans vos propres mots.
5. L'auteur de la lettre écrit: «Dieu m'a renouvelée.» (p. 140)
Explorez les implications de cette affirmation.

## 12. La nouvelle naissance n'est pas qu'un sentiment

1. Lisez l'«histoire de l'éléphant» aux pages 141-142. Croyez-vous
que beaucoup de gens commettent la même erreur que cet homme
relativement à la vie chrétienne?
2. Définissez le «repentir». Pensez-vous que, à notre époque où tout
va vite, beaucoup de gens amorcent cette démarche?
3. Billy Graham dit que «Jésus est devenu le bouc émissaire cosmique de l'humanité». (p. 144) Expliquez ce qu'il veut dire.

4. Quel est le lien entre «repentir» et «restitution»?
5. «Premièrement, la foi, c'est croire [au] Christ» (p. 146) «La foi dans le Christ est volontaire.» (p. 148) Explorez la signification de ces énoncés.
6. La foi résulte aussi de l'expérience. Discutez de cette dimension de la foi.
7. Revoyez les quatre étapes de la page 153.

## 13. Vie et croissance

1. Au moyen d'une concordance de la Bible, explorez les diverses facettes du pardon.
2. Discutez de l'analogie entre l'«adoption» et ce qui se passe quand nous nous joignons à la famille de Dieu.
3. Pendant combien de temps le Saint-Esprit vit-Il dans le cœur du croyant? Quand commence-t-Il à y vivre?
4. Quel rôle le Saint-Esprit joue-t-Il pour aider le croyant à vaincre la tentation?
5. Quelles sont les trois étapes capitales recommandées par Billy Graham pour le chrétien en pleine croissance? (p. 163 et suivantes)

# Notes

*Avant-propos*
1. Corrie ten Boom, *In my Father's House*, Old Tappan, N.J., Fleming Revell Publishing Co., 1976, p. 24.

*Chapitre premier*
1. Charles Colson, *Born Again*, Old Tappan, N.J., Chosen Books, 1976, p. 110.
2. Bertrand Russell, *Power: A New Social Analysis*, New York, Norton, 1938, p. 11.
3. H. R. Rookmaaker, *Modern Art and the Death of a Culture*, London, Inter-Varsity Press, 1970, p. 196.
4. *Ibid.,* p. 202.
5. Os Guinness, *Dust of Death*, Downers Grove, Ill., Inter-Varsity Press, 1973, p. 233.
6. Hal Lindsey, *The Terminal Generation*, Old Tappan, N.J., Fleming H. Revell Co., 1976, p. 83.
7. Rookmaaker, *op. cit.*, p. 233.
8. Guinness, *op. cit.*, p. 392

*Chapitre 3*
1. Josh McDowell, *Evidence That Demands a Verdict*, Campus Crusade for Christ, 1972, p. 17 et suivantes.

*Chapitre 4*
1. Sir James Frazer, *The Golden Bough*, New York, Macmillan Co., 1960, p. 194.
2. *Ibid.,* p. 196.
3. Walter Kaufmann, *Critique of Religion and Philosophy*, New York, Harper & Row, 1958, p. 74.
4. *Ibid.,* p. 88.
5. T. W. Doane, *Bible Myths*, New York, University Books, 1971, p. 252.
6. *Time*, 30 décembre 1974, p. 38.
7. *Ibid.,* p. 40.

*Chapitre 5*
1. *Time*, 30 juin 1975, p. 10.
2. *Time*, 2 février 1976, p. 62.
3. William Barclay, *Letters to Timothy*, Philadelphia, Westminster Press, 1960, p. 44.

*Chapitre 7*
1. Josh McDowell, *Evidence That Demands a Verdict*, Campus Crusade, 1972, p. 89.
2. Harry Rimmer, *The Magnificence of Jesus*, Grand Rapids, Mich., W. B. Eerdmans Publishing Co., 1943, p. 112.
3. C.S. Lewis, *Surprised by Joy*, New York, Harcourt, Brace and World, 1955, p. 228 et suivantes.

*Chapitre 9*
1. Nicolaus von Zinzendorf, 1739.
2. *Saturday Evening Post*, 1er septembre 1951, p. 19.

*Chapitre 10*
1. Josh McDowell, *Evidence That Demands a Verdict*, Campus Crusade, 1972, p. 193.
2. *Ibid.,* p. 233.
3. Billy Graham, *Un monde en flammes,* Suisse, Éditions des Groupes Missionnaires, 1982, p. 187-188.

*Chapitre 11*
1. *Time*, 13 décembre 1976, p. 93.
2. *Ibid.,* E-3, p. 94.
3. Thomas Harris, *I'm OK — You're OK*, New York, Harper & Row, 1967, p. 229.
4. Sergiu Grossu, *The Church in Today's Catacombs*, New Rochelle, New York, Arlington House Publishers, 1975, p. 43.
5. Ostrander and Schroeder, *Psychic Discoveries Behind the Iron Curtain*, Englewood Cliffs, N. J., Prentice-Hall, 1970, p. 151 et suivantes.
6. John Hunter, *Impact*, Glendale, Calif., Regal Books, 1966, p. 45, 46.
7. Oswald Chambers, *My Utmost for His Highest*, New York, Dodd Mead & Co., 1946, p. 10.

*Chapitre 12*
1. Hannah Pearsall Smith, *The Christian's Secret of a Happy Life*, London, Nisbet & Co. Ltd., 1945, p. 88.
2. Francis A. Schaeffer, *He is There and He is not Silent*, Wheaton, Ill., Tyndale House, 1972, p. 15.
3. J.I. Packer, *Knowing God*, Downers Grove, Ill., Inter-Varsity Press, 1973, p. 35.

*Chapitre 13*
1. Hannah Persall Smith, *The Christian's Secret of a Happy Life*, London, Nisbet & Co. Ltd., 1945, p. 133.

# Table des matières

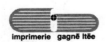

imprimerie gagné ltée

IMPRIMÉ AU CANADA